DE PROZAC MONOLOGEN

Marleen Janssen (1967) studeerde museologie aan de Reinwardt Academie. Ze leerde het journalistieke vak in de praktijk. Onder meer op verschillende tijdschrift-redacties, het laatst als hoofdredacteur bij Quote Media. Nu is zij freelance journalist en copywriter. Ze werkt voor bladen als *esta*, *Santé* en *Libelle* en voor commerciële opdrachtgevers. *De Prozac Monologen* is haar tweede non-fictie boek. Het eerste schreef ze samen met psycholoog Pieternel Dijkstra. Het verscheen in 2005 onder de titel *99 % liefde*.

Ook een Prozac Monoloog schrijven? Ga naar
www.deprozacmonologen.nl

Marleen Janssen

De Prozac Monologen

SCRIPTUM PSYCHOLOGIE

Omslagontwerp Roel Dalhuisen, www.roeldalhuisen.nl

ISBN 978 90 5594 532 0 / NUR 770 Psychologie Algemeen

www.scriptum.nl
info@scriptum.nl

DE FEITEN

Omzet

- Antidepressiva behoren tot **de meest voorgeschreven geneesmiddelen** in Nederland.
- In 2006 werden in Nederland **5,8 miljoen (5.800.000) recepten** uitgeschreven.
- In 2006 werd **156 miljoen euro (156.000.000 euro!) aan antidepressiva** besteed.

BRON Stichting Farmaceutische Kengetallen, 2006.

Top 3

1 Paroxetine (Seroxat): **1.444.000** voorschriften
2 Enlafaxine (Efexor): **772.000** voorschriften
3 Citalopram (Cipramil): **766.000** voorschriften

BRON Stichting Farmaceutische Kengetallen, 2006.

Indicatie

Antidepressiva worden vooral voorgeschreven bij depressie en angststoornissen. Daarnaast zouden ssri's ook werken bij eetstoornissen, premenstruele klachten, pijnklachten en gewichtsverlies. Ook worden antidepressiva experimenteel gebruikt bij de behandeling van ongewild urineverlies, spanningshoofdpijn, opvliegers en bij ouderen tegen artritis.

- Jaarlijks hebben **737.000** Nederlanders een **depressie**.
- Jaarlijks hebben **1,7 miljoen** Nederlanders een **angststoornis**.

BRON *Gezond Verstand*, Meijer et al., RIVM, 2006.

Kosten

- Door depressie gaan in Nederland jaarlijks **157.700 gezonde levensjaren** verloren.
- Depressie kost de samenleving jaarlijks **660 miljoen euro**.
- Angststoornissen kosten de samenleving **275 miljoen euro**.

Bron *Gezond Verstand*, Meijer et al., RIVM, 2006.

Chronisch

Antidepressiva worden vooral chronisch gebruikt: negen van de tien voorschriften is een herhalingsrecept. Op jaarbasis zijn dat **4,9 miljoen herhalingsrecepten**.

BRON Stichting Farmaceutische Kengetallen, 2004.

Stijging

In 1997 werd in Nederland 2,5 miljoen keer een **recept voor antidepressiva** voorgeschreven.
In 2004 was dat aantal gestegen naar 5,5 miljoen.
In 2006 steeg het naar **5,8 miljoen**.

Bron Stichting Farmaceutische Kengetallen, 2004, 2006.

Bijwerkingen

1 Droge mond
2 Slaperigheid/sufheid
3 Vermoeidheid
4 Seksuele disfunctie
5 Gewichtstoename

Vrouwen vinden het **aankomen in gewicht** de ergste bijwerking, **mannen** lijden het meest onder **seksuele disfunctie**.

Bron TNS/NIPO, 2001.

Inhoud

DE VOORLICHTING

Count your blessings

Rond 1990 werd mijn toenmalige vriend psychisch ziek. Ik dacht dat die hele toestand achter me lag, dat ik het had verwerkt. Ruim vijftien jaar later gingen er ineens allerlei vragen knagen. Hoe kan het dat leuke, gezonde mensen mentaal ontsporen, zomaar? Wat gebeurt er precies? Hoe voelt dat? Wat betekent het voor de partners en familie? Wat is er tegen te doen, anno 2007? En tot wat voor een wereld leidt dat?

Achttien lotgenoten van mijn ex-vriend vertelden mij hun persoonlijke verhaal. Allen slikkers of ex-slikkers van Prozac of andere antidepressiva. Ik vroeg wetenschappers, psychiaters, een goeroe en andere deskundigen om die geschiedenissen te duiden. *De Prozac Monologen*.

Ik dank alle geïnterviewden, vooral voor hun openhartigheid. Ik mocht hen als journalist het hemd van het lijf vragen. Dan moet ik ook zelf met de billen bloot durven. Daarom begint *De Prozac Monologen* met mijn eigen verhaal.

Marleen Janssen

Utrecht, april 2007

DE MONOLOGEN

Marleen

'Ons leven was een strontkelder: hij liep steeds voller en stonk naar verrotting.'

Vijftien jaar geleden werd haar vriend psychisch ziek. Interviewend en schrijvend verwerkte Marleen Janssen (40) het trauma.

"Het sloop erin als een geniepig, vuil virus. Ik had het jaren niet in de gaten. Ineens was het er. De angst. De man met wie ik al acht jaar gelukkig was – we hadden verkering vanaf mijn zestiende en woonden samen sinds mijn twintigste – werd bang. Niet gewoon bang voor reële gevaren, maar een soort van stóm bang. Dan zei hij bijvoorbeeld als ik geld ging tappen – let wel, we spreken over begin jaren negentig, de geldautomaat was net ingevoerd – dat ik beter een ouderwetse cheque kon innen, want ik kon wel overvallen worden bij zo'n pinautomaat. Zijn bangigheid ging over geld, vermeende dieven en het stevig vasthouden van je tas. Van die opmerkingen die horen bij moeders-op-leeftijd die onzeker worden en 's avonds liever niet meer over straat gaan. Mijn vriend was net in de dertig.

Mijn vriend was erg gevoelig. Typisch zo'n *highly sensitive* persoon, alleen kenden we die uitdrukking toen nog niet. Hij was gevoelig en lief en kwetsbaar. Als ontwerper gold hij als halve kunstenaar, dus het mocht allemaal.

Op een dag had hij geen boodschappen gedaan. Ik kwam thuis en de kasten waren leeg. Eerst was het: hij had niet naar buiten gekund. Te druk, van alles te doen. Dat was onzin, want zijn eigen zaak – hij werkte aan huis – liep helemaal niet goed. Hij had niets te doen en dat was juist het probleem. Uren later zei hij dat hij niet naar de winkel had gedurfd. Niet gedúrfd?

Nee, want er had de hele dag een grote zwarte Mercedes met geblindeerde ruiten door de straat gereden. De brede man achter het stuur en zijn bijrijder hadden ons huis in de gaten gehouden. Ze droegen gleufhoeden, zwarte zonnebrillen en regenjassen.

Ik ging heel hard lachen.

De volgende dag had mijn vriend weer geen boodschappen gedaan. Hij zat huilend weggekropen in het hoekje van de bank. Ik kwam binnen van mijn hippe baan bij een uitgeverij in Amsterdam, jas en tas nog aan en om en zei: 'Wat heb jij nou?' Hij kon niet praten. Hij had een hoogrode kleur en het snot en de tranen liepen hem over het gezicht. Een trillende vogel. Het waren die mannen. Het was de maffia, ze hadden het op hem voorzien. Alle ramen moesten dicht, de gordijnen toe.

Mijn vriend zou de jaren daarna nauwelijks nog buiten komen. Hij zou op een dag zelfs de tuin niet meer in durven. Hij zou extra sloten op alle ramen en deuren zetten, en alleen het huis verlaten in gezelschap van mij of zijn broer. Op straat zou hij krom gebogen als een schichtige gek om zich heen loeren. Speurend naar de mannen met de zwarte zonnebrillen en de *guns* onder hun lange regenjassen.

Ik mocht het aan niemand vertellen, hij schaamde zich dood. Ik heb lang gezwegen, want ik vond dat ik die wens moest respecteren. Maar op een gegeven moment ging ik toch maar naar de huisarts met het verhaal. Ik kon het allemaal nog best *handelen*, maar ik maakte me zorgen. Moest mijn vriend geen hulp hebben? Zelf bleef hij zeggen dat er niets aan de hand was, maar ik wist allang dat zijn gedachten ziekelijk waren.

Ik ben nooit meegegaan in de angst. Dat was geen strategie, maar een natuurlijke reactie. Al die jaren ben ik blijven zeggen dat hij het zich verbeeldde. Dat er geen mannen, geen zwarte auto's en geen zonnebrillen waren. Dat we de gordijnen, de vitrages en de luxaflexen konden openen om de zon binnen te laten. Keer op keer op keer op keer. Mijn vriend werd mijn kind. Ik beurde hem op, relativeerde zijn angst, hield de deur naar buiten open. Maar waar ik de deur openzette, duwde hij hem aan de andere kant met zijn hele gewicht dicht.

Mijn vriend kwam bij de psychiater en bleek een vette depressie en een vette angststoornis te hebben. Wist ik veel wat dat was: ik was 25 en speels. Het was de periode vóór de televisiedocumentaires over psychiatrie, er was nauwelijks iets bekend over psychische aandoeningen. De psychiater schreef antidepressiva voor.

Daar had ik ook nog nooit van gehoord. Het waren pillen waar hij minder somber en minder bang van zou worden, zei mijn vriend. Het leek wel alsof het snoep was: hij slikte de medicijnen 's morgens met een verlekkerd en heel belangrijk gezicht. Later, veel later, toen we al uit elkaar waren, de opname in een psychiatrische kliniek al achter de rug was, hij volledig afgekeurd en uitbehandeld thuis zat, heb ik gedacht: toen met die pillen, toen al had hij zijn bestemming gevonden. Hij koos ervoor patiënt te worden.

De antidepressiva werkten niet. Mijn vriend slikte ze in vele soorten en maten en leek alleen maar getroffen te worden door alle bijwerkingen. Het suisde in zijn kop als in een draaimolen. Hij moest de hele dag water drinken vanwege een droge mond. Hij werd hartstikke impotent. Dat was het minst erge, want mij was elke lust sowieso vergaan: ik hoefde geen seks met mijn kind. Er was niets aantrekkelijks meer aan dat magere mannetje. Ik duwde hem met een vinger om! Hij at nauwelijks en werd een wandelend geraamte. Er is een foto van hem uit die tijd. Die is zo eng, dat ik hem heel diep heb weggestopt in een doos. Op die foto heeft mijn vriend ingevallen wangen, grote ogen met vreemd vergrote pupillen en een baard van acht dagen.

Ik was 25, 26, 27 en had mijn eerste baan en verdiende mijn eerste salaris. Ik was stoer! Ik wilde naar feesten, eten met vrienden, nachten dansen. Maar ik had die vriend met wie het echt niet goed ging. We gingen nooit meer ergens heen. We zaten thuis. Maar de vrienden die langskwamen (steeds minder) vonden het op een gegeven moment ook niet meer zo leuk. Mijn vriend vertelde zijn eenzijdige rare verhalen en ik deed enorm mijn best om het vooral normaal, gezellig en ontspannen te laten zijn.

Als ik terugdenk aan die periode, regende het altijd. Het was een aaneengesloten grijs regengordijn. Thuis dus. Op mijn werk ging het hartstikke goed. Daar was ik opgewekt en opgeruimd en maakte ik razendsnel carrière. Maar als ik aan het eind van de dag onze straat in fietste, haalde ik diep adem en dacht ik: oké, daar gaan we weer. Ik zette me schrap voor anderhalf uur klaagzang. Ik wist precies wat er was gebeurd. Het verhaal was namelijk elke dag hetzelfde. Daarna kon ik me terugtrekken op de bank met een boek. Lezen was mijn redding. Ik dook weg in de heerlijke, léuke wereld van de romantiek, het sprookje, de slapstick of de detective.

Ik werd een emotionele schaker. Er was geen tijd voor mijn gevoel, dus ik stopte het in een Tupperware-doos en zette hem in de vriezer. Later, toen mijn vriend werd opgenomen in een psychiatrische kliniek en het echt heftig werd, toen voelde ik helemaal niets meer en wierp ik de stevig dichtgebonden vuilniszakken met ellende zo over de schutting. Voor later, misschien had ik in een ander leven wel tijd om de rotzooi op te ruimen.

Toen had ik dat allemaal niet zo in de gaten. Het was ook geen kwestie van 'volhouden'. Het leven was gewoon zo. Thuis was het tobben. Misschien rekende ik erop dat het op een dag zou overwaaien? Dat we weer gezellig met de Renault vier en het tentje achterin naar Frankrijk zouden rijden? Ik heb heel lang gedacht dat het 'wel goed zou komen'. Ik heb nooit gedacht: ik ga weg. Wel droomde ik regelmatig over alleen wonen. In mijn droom werd ik wakker (alleen!) in een lichte kamer met gele muren en wapperende witkatoenen gordijnen.

Het is gecrasht toen ik 28 was. Het stonk al een tijdje in ons huis. Als je de trap afging naar het souterrain, wist je: het riool heeft kuren. Mijn vriend wilde vanzelfsprekend geen loodgieter laten komen. We moesten samen naar de Gamma om zakken betonmortel te halen. Hij zou het 'lek' afstorten. Ik dacht: het zal wel. Ik vond ook niet zoveel meer. Ik begon wat murw te worden. We reden naar de Gamma. Mijn vriend brak bijna zijn rug op de zakken mortel en de auto zakte zeer diep door zijn assen. Hij stond een hele dag beton aan te maken in de kelder en stortte de natte kledder kuip na kuip in de souterraingang.

Toen de boel was uitgehard, werden we op een ochtend wakker van een strontlucht, zó erg dat we bijna gasmaskers nodig hadden. In de met beton volgestorte gang pruttelden grote vieze bellen. De zwavelstank benam je de adem. Mijn vriend raakte volledig in paniek. Ik barstte in huilen uit en greep de Gouden Gids. Hij gilde: 'Niet bellen, niet bellen!'

Diezelfde avond kreeg hij zijn eerste psychose. De gekte nam bezit van hem. De enge mannen met de wapens bevonden zich nu ook in de kelder van ons huis. Het einde was nabij. Ik mocht niet naar buiten, want hij had doorgekregen dat ze ook mij te pakken zouden nemen. Hij zag beelden van mijn verkrachtte en doorstoken lichaam tussen twee geparkeerde auto's.

Het was zaterdagavond elf uur. Ik heb een taxi gebeld, heb hem erin gezet en heb ons naar het crisiscentrum laten vervoeren. Ik ben gaan huilen. Ik geloof dat ik pas vijf maanden later ben opgehouden.

Het gekke was: eenmaal in dat crisiscentrum knapte mijn vriend op. Hij genoot van de psychiatrisch verpleegkundigen die om hem heen zwermden. Hij vertelde met graagte over de demonen die hem bezochten en hij genoot van de vragen van de inderhaast opgetrommelde psychiater. Zoals ik huilde en huilde en me een uitgelubberd postbode-elastiek voelde, zo werd hij eindelijk een echte patiënt. We hebben nog vaak daar op de psychiatrische Eerste Hulp gezeten. De rit met de taxi door de donkere stad werd bijna gewoon. Drie maanden later werd hij opgenomen in de gesloten afdeling van een psychiatrisch ziekenhuis in de bossen. Niet omdat hij zich van het leven dreigde te beroven of een gevaar voor anderen werd, maar omdat hij zich daar, achter hoge hekken en dikke sloten, veiliger waande voor de enge mannen.

Met het verschijnen van *De Prozac Monologen* is de opname van mijn ex-vriend en de beëindiging van onze relatie precies twaalf jaar geleden. Alsof het zo moest zijn.

Als mensen me de afgelopen periode vroegen waarom ik toch zo gefascineerd was door die pillen, dan ratelde ik over grote aantallen slikkers (bijna een miljoen), veel mensen met een depressie (800.000) en nóg veel meer met een angst- of paniekstoornis (1,7 miljoen). Ik zei: ‘Het onderwerp heeft me gegrepen omdat ik wil weten hoe het zit: wie zijn al die mensen, zijn ze geholpen door de pillen? Word je gelukkiger van Prozac en aanverwanten of is het een doekje voor het bloeden en houden we onszelf voor de gek? Slikken we té makkelijk?’ Dat zei ik allemaal en ik meende het.

Maar de echte reden is natuurlijk het verhaal van de strontkelder. Ik zie nog steeds die borrelende strontberg, ik ruik nog steeds de stank van verderf en verrotting. Vorige week was ik een paar dagen in Parijs met mijn ouders en bezochten we het museum van de riolering op de hoek van de Quai d’Orsay en Pont de l’Alma. Hoe verder we afdaalden, hoe beter je het rook. Diep onder de grond bleken rivieren van poep te stromen. Ik dacht: zo was mijn leven. Dit was de geur.

Ik ben heel lang bang geweest voor alles dat riekte naar psychiatrie. Ik heb nog jarenlang nachtmerries gehad over de psychiatrische kliniek waar mijn vriend belandde. Eén psychotisch mens dat volstrekt in de war is, is tot daar aan toe, maar tien tegelijk is te veel. Elke week was er een zelfdoding. Er zat altijd iemand in de gang angstaanjagend hard te schreeuwen.

Ik weet dat mijn verhaal extreem is. De meeste mensen die antidepressiva slikken, zijn geholpen met de medicatie. Er zijn maar weinig mensen die, zoals mijn ex-vriend, psychotisch worden.

Wat ik geleerd heb van al die geschiedenissen, is dat je kunt denken dat je het allemaal prima voor elkaar hebt, maar dat je desondanks ongelooflijk onderuit kunt gaan. Je kunt zomaar de wereld van de gekte inschieten. Je wordt diep depressief. Je ontwikkelt een grote angst. Het kan ons allemaal overkomen. Het is een illusie te denken dat de gekte jou zal overslaan. Los van gevoeligheid, kun je gewoon te veel pech hebben in je leven en over het randje glijden.

Voor *De Prozac Monologen* interviewde ik tientallen mensen die het overkwam. Sommige van hen zijn weer 'genezen', anderen blijven altijd kwetsbaar. Telkens als ik naar huis reed na weer een gesprek, dacht ik: zij waren ooit mensen zoals ik. Gezond van geest en met twee benen in het leven. Ze werden mensen zoals mijn ex-vriend. Op een dag zomaar de grens tussen geluk en gekte gepasseerd."

Elze 

'Ik weet wat ik doe. De depressie is míjn ziekte en ik ben zelf mijn beste arts.'

Elze (41) heeft de afgelopen twaalf jaar meerdere depressies gehad. Ze heeft de antidepressiva meer dan eens afgebouwd, maar is telkens opnieuw begonnen om de ziekte het hoofd te kunnen bieden. Ze weet nu precies hoeveel pillen ze nodig heeft.

"Twaalf jaar geleden. Het was oktober en ik reed 's avonds laat terug van een klus in Zandvoort. Het regende hard. Ik reed op de snelweg bij Almere, waar die grote hobbels in de weg zitten. Er was aquaplaning. Ik zweefde over de hobbels, slipte en de auto draaide om zijn as. Ik zag de koplampen van een auto recht op me af komen. Ik dacht: nu ga ik dood. Op het allerlaatste moment kon ik uit de auto komen. Ik stond in een file van lichten.

Ik was ogenschijnlijk ongedeerd. Thuis deed ik mijn verhaal en de volgende dag ben ik weer gewoon aan het werk gegaan. Na een tijdje kreeg ik klachten. Als ik weer uit Zandvoort terug naar huis reed, ging ik hyperventileren. Ik at slecht, had last van concentratiestoornissen. De huisarts zei: 'Je hebt een posttraumatische stressstoornis.' Ik wist niet eens wat het was.

Ik verloor steeds meer het contact met de werkelijkheid. Mijn bewustzijn was scherp, ik registreerde alles, maar ik had er geen grip op. En er was een toenemend gevoel van paniek. Ik was de controle kwijt. Voor het ongeluk was ik gericht op beheersing. Ik was ambitieus, perfectionistisch en deed alles behoorlijk gepland. Nu was er een gevoel van wanhoop en daar snapte ik niets van. Ik kon niet meer ver vooruitdenken. Ik was al blij met een redelijke dag. Ik vond mezelf nergens meer voor deugen en overwoog een baantje in de fabriek te nemen. Ik had helemaal niet door hoe depressief ik al was. Dat is een van de kenmerken van een posttraumatische stressstoornis. Depressie en paniek.

De psychiater waar ik terechtkwam was een rondborstige moeke. Een heel erg goeie. Ze zei: 'Je krijgt medicijnen en met zes sessies heb ik je er weer bovenop.' Er wás iets met me! En er was blijkbaar zicht op genezing. Dat zorgde voor grote opluchting. Ik kreeg het antidepressivum Seroxat voorgeschreven plus zes sessies therapie. Ik heb het ongeval een paar keer herbeleefd. Daardoor kwamen de gevoelens die ik had weggestopt, weer boven. Dat gaf ruimte. Al heel snel ging het een stuk beter met me. Na zes keer zei ik tegen haar: 'We hebben het eigenlijk wel gehad, hè?' Dat beaamde ze.

De Seroxat werkte. Het onderdrukte de paniekaanvallen en had minimale bijwerkingen. Het was wel vervelend dat ik in het begin geen orgasmen meer kon krijgen. Tijdens het vrijen was er wel steeds de aanzet tot meer opwinding, maar ik kon niet meer bij de top komen. Niet meer kunnen klaarkomen lijkt een triviaal probleem vergeleken bij een depressie. Maar toch is dat orgasme belangrijk. Dan voel je je even heel geweldig. En het is ook: bij je gevoel zijn, bij je man zijn, sámen zijn. Ik heb er geen halszaak van gemaakt. In de loop der jaren ben ik er aan gewend geraakt dat tot een orgasme komen wat meer tijd vergt. Daar heb ik geen last van. Mijn seksualiteit is me niet ontnomen.

Na een half jaar heb ik de pillen afgebouwd. Ik kon het weer op eigen kracht. Op een dag liep ik door een winkelstraat. Ik dacht: er is iets met me. Ik ben naar huis gegaan en zoef, van het ene op het andere moment had ik weer een depressie.

's Morgens om vijf uur wakker worden, je willen bewegen maar niet kunnen. Zei ik tegen mijn man: 'Hou me heel stevig vast!' De pijn die door mijn lijf gierde. Zo oncontroleerbaar dat het leek alsof ik op het punt stond gek te worden. Ik weet nog dat ik eens op het station stond en voor de trein wilde springen. Of nee, ik wilde niet springen: het spoor trók mij. Toen wist ik: zelfmoord is geen keuze als je een depressie hebt. Je wordt door het leven of door de dood uitgenodigd. Zo heb ik het ervaren.

De psychiater zei: 'Onmiddellijk weer aan de medicijnen.' Echt noemenswaardige stressaanleidingen voor de terugval waren er niet. De psychiater noemde het een fysieke depressie vanwege de heftige lichamelijke verschijnselen. De medicijnen sloegen heel goed aan. Na tien dagen werkte het al. Ik voelde een soort rust over me komen. Mijn eetlust kwam terug, ik sliep weer. Ik kwam weer terug in de wereld.

Toen werd ik per ongeluk zwanger. Vanaf het begin was duidelijk: het kind is welkom. En vanzelfsprekend zou ik de medicatie afbouwen. Ik vond: je gaat geen antidepressiva slikken als je zwanger bent. In de vijfde of zesde maand was ik van de pillen af. Mijn zoon werd geboren in de nacht van de Elfstedentocht.

Het moederschap voelde goed en natuurlijk. Ik was heel rustig, ben zelfs wat eerder dan gepland weer gaan werken. Echt een relaxte tijd. Het ging allemaal super. Als andere moeders klaagden: 'Jeetje wat druk, ik kom nergens meer toe,' dan dacht ik: waar hebben ze het over?

Na negen maanden zelf voeden, begon ik de borstvoeding af te bouwen. Het was herfstvakantie. Ik was een dagje naar mijn nichtje geweest en reed op de terugweg even langs bij mijn ouders. Ik voelde me zo raar. Ik kwam binnen en vroeg of ze het erg vonden als ik even ging liggen. Ik lag in bed en wist: het is er weer. Het was weer... whoem, ik schoot zo de depressie in. Alsof ik de piste afskiede en in een razendsnelle tijd beneden was. Mijn gevoel zat direct vijftien verdiepingen lager.

Ik kon niets. Zat op de bank en dacht: was dat kind er maar niet. Was dat kind maar nooit geboren. Ik wilde dood. Er moest de hele dag iemand bij me zijn. Ik kon niet voor de baby en ook niet voor mezelf zorgen. Tot de pillen werkten.

Mijn huisarts schreef in de jaren daarna de herhalingsrecepten uit. Ik heb het met hem wel eens gehad over een tweede zwangerschap. Hij zei: 'Als je een tweede wilt, is het handig dat je bent afgebouwd.' Ik besloot af te bouwen in het voorjaar. Maar dat lukte niet. Ik kreeg een paar miskramen en besloot te stoppen met Seroxat als ik echt goed zwanger was. Dat is gelukt. De oudste was vier toen onze tweede zoon midden in de zomer werd geboren.

Een week na de bevalling werd ik 's morgens heel vroeg wakker en zei ik tegen mijn man: 'Ik ben depressief.' Er was opnieuw dat gierende gevoel. Ik zag mezelf liggen in een doodskist. Wat heerlijk, dacht ik, kon ik hier maar altijd blijven liggen. En dan heb je dus een baby van een week oud. De huisarts gebeld, maar voor die er was had ik al een tablet genomen. Ik had ze nog in huis. De huisarts zat tegenover me en vroeg: 'Weet je zeker dat het een depressie is?' Ik zei: 'Ja, want dit is mijn ziekte en ik ben zelf mijn beste arts.' Ik wist heel goed wat ik deed. Er waren twee opties: de dood in gesleurd worden of overeind blijven. Zo extreem. Ik heb een bevriende psychiater gebeld en die zei dat ik nooit had moeten stoppen tijdens de zwangerschap. Maar ik wilde het beste voor de baby. Ik heb me meer laten leiden door de artsen die zeiden dat ik moest afbouwen dan door mijn lichaam.

Mijn jongste is nu vijf jaar en ik ken de ziekte steeds beter. Ik heb heel lang op één pil per dag gezeten. Maar in de herfsten van de afgelopen jaren merkte ik dat ik weg dreigde te zakken. Meestal in de derde week van september. Dat weet ik zo goed omdat mijn ouders dan allebei jarig zijn. Heel vaak heb ik met een onbestemd gevoel op de verjaardag van mijn ouders gezeten, denkend: wat doe ik hier?

Als het 1 september is, ga ik een half pilletje extra slikken. Tegen Sinterklaas heb ik dan bijna te veel energie en weet ik dat het tijd is om terug te gaan naar één tablet. Op 1 januari is dat afgebouwd. Misschien hoeft het komend jaar niet meer. Ik zie de depressie als een rode draad die in mijn leven zit verweven. De draad wordt dunner. Misschien laat de ziekte me los. Ik voorvoel dat het op een dag ophoudt. Het heeft te maken met dichter bij mijn gevoel leven, zijn wie ik mag zijn. Voorlopig ben ik heel terughoudend met het afbouwen. Ik wil nooit meer die gierende vliegbeweging naar beneden meemaken."

'Mijn broers vonden me een puberaal prinsesje.'

De paniek begon op haar vijftiende, toen Sara (nu 18) in de tweede klas zat. Ze durfde niets meer, ook de klas niet meer in. Nu heeft ze net eindexamen havo gedaan.

"Ik was op een feestje en ineens werd ik heel erg duizelig. De kamer begon om me heen te draaien. Met een vriendinnetje ben ik naar de gang gelopen. Daarna wist ik niet meer waar ik was, wat er gebeurde. Ik zei: 'Ik raak in paniek!' Uiteindelijk zijn we door een van die ouders naar huis gebracht. Ik lag op de achterbank en ze zeiden: 'Misschien heb je wel te veel gedronken, misschien moeten we met je naar het ziekenhuis?' Maar ik had helemaal niets gedronken. De hele weg lag ik te trillen. Thuis ben ik naar boven gekropen. Ik had niet de kracht om mijn ouders te roepen. Mijn hart sloeg heel snel en ik was kortademig. Het leek net alsof ik buiten mezelf was. Ik dacht alleen maar: ik ga dood, ik haal de ochtend niet.

De volgende ochtend leefde ik nog. Ik ben naar de dokter gegaan. Die zei: 'Tja, je hebt een vrij lage bloeddruk, daar zal het wel door komen.' Ik moest maar veel zoute dropjes eten als ik me duizelig voelde. Op school werd ik ook niet lekker. De dokter opperde dat ik misschien oververmoeid was. Man! dacht ik, ik ben vijftien, ik doe bijna niks op school, ik ben echt niet oververmoeid! Toen moest ik twee weken thuis blijven. In bed liggen, uitrusten.

Na twee weken mocht ik weer naar school. Had ik het weer.

Stond ik in de pauze met wat mensen te praten en had ik het gevoel alsof ik naar achteren viel, dat ik de grond niet raakte, op watten stond. Ik zag zwarte vlekken voor mijn ogen. Ging ik even zitten. Begon alles om me heen te draaien en kreeg ik geen lucht. Toen werd ik zo bang van die stoel af te vallen dat ik maar op de grond ging zitten. Onbeheersbaar trillend. Zeven vriendinnen stonden er om me heen. Als ik ging trillen, voelde ik veertien handjes op me om me te kalmeren.

De dokter dacht aan hartritmestoornissen. De volgende keer als ik zo'n 'aanval' had moest ik mijn hartslag bijhouden. Was het meer dan 120 slagen per minuut, dan moest er zeker een onderzoekje komen.

Een paar dagen later fietste ik naar school met mijn zus. We zaten te keten toen ik weer duizelig werd. Ik had het gevoel dat ik omviel. We zijn in de berm gaan zitten. Klamme handen, ik kreeg bijna geen lucht. Mijn zus telde mijn hartslag. Die zat ver boven de 120, maar dat ging ze mij niet zeggen. Weer dacht ik: ik ga dood. Later is me verteld dat mensen die een paniekstoornis hebben, een verkeerd soort seintje in hun hersenen krijgen. Een seintje dat zegt: 'Het gaat mis! Je hebt een hartaanval!'

Mijn moeder stond vast in de file. Voor mijn gevoel zat ik een eeuwigheid met mijn zus in de berm. In werkelijkheid duurde het een kwartiertje.

Mijn zus bleef kalm. Dat is ze anders nooit. Ik weet nog dat ik dacht: ga eens gillen of zo! Ze hield me vast als een baby. Mijn moeder heeft me direct naar de huisarts gebracht. Ik ging liggen op zo'n bank en de huisarts ging naar me zitten kijken vanaf de andere kant van de kamer. Ik dacht: man, doe iets! Leg me aan het infuus of wat! Hij vroeg of ik het gevoel had dat ik geen lucht had. Ik antwoordde dat dat zo was. Hij dacht dat het hyperventilatie was.

'Want,' zei hij, 'mensen krijgen vaak hyperventilatie als ze ergens van in paniek schieten.' Maar dat was bij mij juist niet zo. Er was geen reden om in paniek te raken. Ik deed geen enge of spannende dingen en op school voelde ik me veilig en had ik veel vriendinnetjes. Ik was niet onzeker en ik zat niet verlegen in een hoekje. Hij raadde me aan naar een haptonoom te gaan. Ik wist niet zo wat dat inhield.

Bij de haptonoom kreeg ik ademhalingsoefeningen. Ik leerde me concentreren op mijn onderlijf, want ik ademde veel te hoog. Desondanks kreeg ik steeds vaker aanvallen. Thuis, op school en op de fiets. Eerst elke dag één en op een gegeven moment waren het geen aanvallen meer, maar was het een continu gevoel van duizelig achterovervallen. Ruimtes waren enorm hoog en ik was heel klein. Ik durfde niet meer de straat op. En waar het druk was kon ik helemaal niet meer zijn. De haptonoom zei: 'Jij hebt een heel gevoelig ademhalingssysteem en je moet heel constant ademhalen.' Ik ging héél goed ademhalen vanuit de onderbuik. Maar het hielp niet.

Mijn moeder en mijn broers brachten me overal naar toe. Mijn moeder vond het lastig. Ik wilde namelijk ook niet meer naar school en zij wist niet wat het nou was: vertoonde ik puberaal gedrag omdat ik school niet leuk vond of kon ik echt niet? Ze trok me de auto in terwijl ik huilde dat ik niet durfde. Ik klampte me vast aan de bank en weigerde de auto uit te stappen. Ik hoefde niet meer bang te zijn dat ik een aanval zou krijgen, want ik had de hele tijd aanvallen. Op school met al die mensen, als ik moest staan. Wat een beetje hielp was zitten met mijn voeten op de grond en mijn rug stevig tegen de leuning geduwd. Met mijn handen raakte ik mezelf telkens overal even aan. O ja, ik heb nog benen, armen, een buik. Vooral als ik duizelig werd, ging ik aanraken. Vriendinnen hadden dat direct in de gaten. Twee liepen als bewakers met me mee.

Ik viel heel veel af. Door die constante hoge hartslag ging ik heel snel verbranden en ik at weinig. Op school deed het de ronde dat ik anorexia had. Ik durfde de klas heel vaak niet in. Toen ik het wel eens deed en iets at, draaide de jongen die voor me zat zich om en zei: 'Maar jij hebt toch anorexia? Ga je die appel dan zo weer uitkotsen of zo?' Zei ik: 'Nee, ik heb geen anorexia.' En zei een ander: 'Ja, dat zeggen anorexiapatiënten altijd, die ontkennen!'

Het maakte me niet meer uit, of ze me wel of niet geloofden. Ik wist niet wat ik had. Maar ik zag wel dat ik niet normaal was. Bij 1.78 meter woog ik 49 kilo. Dat is echt veel te weinig. Gingen de artsen weer onderzoeken of ik soms een eetprobleem had. Maakte mijn moeder zich nog meer zorgen. En gingen mijn vriendinnetjes zich er ook mee bemoeien. Ja, misschien is het wel anorexia? Ze eet ook niet vaak, ze is altijd moe en uitgeput.

Ik lag in bed en vond alles eng. Mijn broers – die over alles een enorme mening hebben – vonden: als je ziek bent moet je naar het ziekenhuis. Ze zeiden: 'Als er echt iets met Saar zou zijn, zou er wel meer aan worden gedaan. Het is aanstelleritis, ze is een puberaal prinsesje.' Ik moest normaal leren doen. Mijn zus vond me saai. Ze wilde een andere zus, een die wel leuke dingen wilde doen. Ik kon niet met haar mee naar de stad. Ik ging niet meer naar school. Of ik was er een uurtje en dan liet ik me weer ophalen omdat het niet meer ging. Op een gegeven moment kwam er allemaal post van school. Dat ik leerplichtig was en dat ik op school moest zijn.

Mijn moeder vond het heel lastig. Hoe ik was. Die werd ook gek van de dokters die het niet wisten. Ze wilde dat ik een gewoon leven had. Zij vond: ook al ben je bang om naar school te gaan, je moet het proberen. Je moet een normaal leven leiden dat past bij een meisje van vijftien.

De haptonoom vond me 'heel extreem'. Ik dacht: O, wat klinkt dat aanstellerig. Zoals hij het zei, leek het net alsof er iets in mijn hoofd niet oké was, terwijl ik toch lichamelijk iets mankeerde?

De gedragstherapeut bij wie ik inmiddels ook kwam, vond me 'een typisch geval van paniekstoornis'. Zijn aanpak was: je gaat gewoon naar school, anders krijg je een week geen eten.

Hij adviseerde ook me naar een internaat te sturen. Hij gaf me opdrachten. Bijvoorbeeld een stukje over straat lopen. Dat vond ik zo eng. Ik durfde niet naar de hoek. Hoe kon die man me dat aandoen! Naar de hoek en terug: ik nam de hond mee. Na elke paar stappen stoppen en voelen: ja, ik stond nog op de grond.

De derde deskundige bij wie ik kwam, was een lichaamsgericht therapeut. Met haar praatte ik niet zozeer over de paniek en de angst, maar meer over de gevolgen daarvan. Ik sprak over mijn onzekerheid, over hoe het met mijn vriendje ging en over wat mijn broers en mijn zus allemaal vonden en zeiden. Dat was fijn. Maar het hielp me niet van het probleem af. Ik voelde me 24 uur per dag niet goed.

Toch moest ik naar school. De oplossing werd gevonden. Er was in het gebouw een soort studiegang met daarnaast een rij zitplaatsen voor wachtenden. Daar kon ik zitten en daar zat ik dan de hele dag. Deed ik ook niks, maar dan was ik wel op school. In de pauze kwamen mijn vriendinnetjes langs. Soms las ik een boek. Ik heb meer dan een half jaar in die gang gezeten.

De school vond: je moet terug naar je klas. Dat is belangrijk. Maar die klas was mijn klas niet meer. Ik kende die kinderen niet meer. Mijn vriendinnen zaten allemaal een jaar hoger. Eén keer ben ik in mijn klas gaan vertellen wat er aan de hand was. Ik zei: 'Ik heb waarschijnlijk iets dat een paniekstoornis heet, ik weet niet zo goed wat dat is en hoe dat moet, maar ik kan dus niet goed de klas in.'

In die gang ging het wel goed. Dat was mijn plek. Ik zat op een stoel voor me uit te kijken. Soms praatte ik even met mensen die langskwamen. In de pauzes vluchtte ik soms de wc in, want dan waren er te veel mensen. Wachtte ik tot ze allemaal weer in hun klas zaten. De school begreep het niet zo goed. Er werd gezegd: 'Wat doet dat kind hier op die gang?' 'Ga naar je les!' Als ik in staat was met kinderen te praten, was ik toch ook in staat die klas in te gaan? Ik had vaak ruzie met de conrector en coördinator. Die vonden dat ik het te gezellig had op de gang. Dan werd ik die les weer in geduwd. Mijn moeder vond ook dat ik even moest doorzetten. Na anderhalf jaar was zij er ook wel klaar mee.

Ik kon bij een psychiater komen, die gepromoveerd was op een meisje met net zo'n soort probleem als het mijne. Ik wilde helemaal niet naar wéér een nieuwe therapeut. En dan: een psychiater! Er was niks mis in mijn hoofd.

Ik was meteen weg van hem. Het was een heel ontspannen bijeenkomst. Hij vroeg: 'Vertel eens wat je hebt!' Na mijn verhaal zei hij dat ik inderdaad een paniekstoornis had en dat ik daar medicijnen voor moest slikken omdat je zoiets niet met therapie kan verhelpen. Die daadkracht, dat was fijn.

Een paniekstoornis kun je krijgen door omstandigheden. Je ouders gaan scheiden, je wordt dakloos. Of je erft het van een van je ouders. Ik heb het van mijn vader. Die heeft het niet in zulke extreme mate als ik het heb, maar hij heeft ook van dit soort angstaanvallen. Ik vond het wel fijn dat mijn vader het ook heeft. Vooral naar mijn broers toe. Wist ik tenminste dat ik geen mietje was omdat ik bang was. Mijn vader is ook geen mietje. Ik was geen raar aanstellerig wijf.

Ik ben Zoloft gaan slikken en ben er de eerste twee maanden heel ziek van geweest. Heel misselijk, geen eetlust, niet kunnen slapen. Het stond allemaal in de bijsluiter. Ik moest heel veel huilen. Mijn moeder wilde me niet meer alleen laten. In de bijsluiter stond namelijk dat je suïcidaal kon worden van die pillen en ze dacht dat ik zoveel moest huilen omdat ik *down* was. Ik had inderdaad nergens meer zin in. Ik woog 48 kilo.

Als ik bij de psychiater kwam, zat die bijna in zijn handen te klappen over de bijverschijnselen. 'O ja, heb je dat ook? Dan gaan de medicijnen waarschijnlijk goed werken.' Hij ging me geen therapie geven, ik had al die fijne vrouw om mee te praten.

Het was moeilijk om uit te vinden hoeveel ik moest slikken. Ik ben van een halve pil naar één naar uiteindelijk drie gegaan. En toen werd het licht in plaats van loodzwaar. Die zomer was een soort dieptepunt. Het was uit met mijn vriendje en ik had het helemaal gehad met die ziekte. Het moest gewoon over zijn, vond ik. En ineens wás het over: ik ging alleen naar Schiphol. Van het allerdiepste punt vloog ik naar Frankrijk. Toen ik landde op het vliegveld en ik mijn ouders zag staan, dacht ik: zo, en nu is het klaar. Nu begint er een nieuwe fase in mijn leven. Het voelde als een overwinning.

Het is nu twee jaar later en terugkijkend zie ik dat ik gered ben door de pillen. Daar ben ik zo ontzettend blij mee. De oude Saar is grotendeels weer terug. Het afgelopen jaar heb ik op het volwassenenonderwijs twee jaar in een gedaan. Een buffeljaar was het, ik moest van negen tot zes naar school. Maar ik heb mijn diploma! En: ik vond het niet erg om naar school te gaan en hard te werken. Ik werd ineens een succesverhaal.

Als ik nu over Hoog Catharijne loop, heb ik nog steeds het gevoel: oei, ik raak in paniek, maar die pillen houden het tegen. Ze zetten de paniek op rantsoen. Het duizelige heb ik nog steeds, maar ik weet dat ik niet doodga. Zwaar overmoedig ben ik afgelopen zomer met twintig vriendinnetjes naar Salau gegaan. Waren we op een gegeven moment in een uitgaansgelegenheid met veel van die lichten. Toen dacht ik: nu wil ik weer naar huis!

Ik denk nog steeds bij alles wat ik ga doen: zou ik dat wel kunnen? Maar ik wil die gedachte ook direct aan de kant zetten. Ik weet namelijk hoe ik mezelf kan besturen. Als ik denk: het gaat niet goed, het gaat niet goed! Dan gáát het ook niet goed. Dat vond ik in het begin lastig om in te zien. In het begin wilde ik er ook niet aan dat ik een psychisch probleem heb. Dat vond ik echt stom. Komt ook een beetje doordat mijn broers honderd keer hadden gezegd dat dat stom was. Ik ben altijd bang geweest dat mensen dachten dat ik gek was. Dat is echt het ergste. Dat andere mensen denken dat je ze niet op een rijtje hebt."

René Kahn

'Wat is er in vredesnaam erg aan antidepressiva slikken?'

Hoogleraar psychiatrie aan de Universiteit Utrecht en afdelingshoofd psychiatrie aan het Universitair Medisch Centrum Utrecht René Kahn (52) wordt vaak bestempeld als een 'bio-optimist'. Wat zoveel betekent als een groot voorstander van antidepressiva en andere medicatie. Is dat waar?

"Ik weet niet wat een bio-optimist is. Ik kan er alleen fantasieën op loslaten. Dat etiket is ooit op mijn voorhoofd geplakt. Het is wel een feit dat ik geloof hecht aan pillen in bepaalde omstandigheden. Ik denk niet dat ik me daarin onderscheid van de meeste psychiaters. Ik ben een algemeen psychiater. Op sommige aspecten ben ik behoudend, op andere vooruitstrevend. Ik hoop dat ik vooruitstrevend ben wat betreft onderzoek. In de behandeling ben ik terughoudend in die zin dat ik pas overga tot behandeling als is gebleken dat die behandeling werkt. Medicatie heeft soms een goed effect. Maar psychotherapie heeft soms ook een goed effect.

Ik werd aanvankelijk neergezet als een pillenliefhebber. Dat komt omdat mensen het fijn vinden om dingen te simplificeren. Een algemene menselijke behoefte.

Mensen denken dat psychiaters heel veel weten. Dat is niet zo. De gedachte dat de psychiater door je heen kan kijken... De psychiater kijkt je aan en weet direct hoe vaak je masturbeert. Ja ja. Het aura is door psychiaters zelf zestig jaar lang zorgvuldig in stand gehouden. In mijn ogen is het vooral een manier geweest om onkunde te verbergen. Ik geloof in studies en wat daaruit blijkt.

Als het over antidepressiva gaat, is dat een geloof in een verbetering van dertig tot veertig procent ten opzichte van placebo. De neppillen hebben in een aantal gevallen netto zeker ook effect, maar de antidepressiva werken beter. Dat is mijn vertrouwen. Werkt het bij depressies? Ja. Bij ernstige depressies werkt het beter dan bij milde depressies. Bij ernstige depressies werken pillen ook beter dan praten. Antidepressiva werken doordat ze de activiteit van bepaalde hersensystemen veranderen. 'Normaliseren' zo je wilt. Het interpreteren van de signalen wordt weer normaal. Eerst was alles bedreigend en eng, nu is de wereld weer normaal. De vicieuze cirkel wordt doorbroken.

De mens weet nog steeds weinig over de werking van de hersenen. Maar als je een medicijn wilt ontwikkelen, is het niet altijd nodig om te weten hoe iets precies werkt. Er zijn veel middelen tegen epilepsie of verhoogde bloeddruk waarvan we weten dat ze werken. Maar als je vraagt hóe ze werken, waarom die bloeddruk naar beneden gaat, dan weet men dat niet. Met antidepressiva is dat ook zo. Ze zijn allemaal eigenlijk bij toeval ontdekt en er wordt voortgeborduurd op het thema.

Antidepressiva zijn redelijk effectief. Maar het kan beter. Altijd natuurlijk. Er is nog steeds een groep van twintig à dertig procent van de patiënten die niet op de medicijnen reageert. Het duurt een paar weken voor de pillen werken. En een groot deel van de slikkers heeft last van bijwerkingen.

Aan de andere kant is het zo dat antidepressiva het lot van mensen met een depressie erg verbeterd hebben. Ik denk dat er grote vooruitgang geboekt is. Maar als je zegt: 'De middelen die nu in 2006 op de markt zijn, hebben eigenlijk hetzelfde werkingsmechanisme als de middelen uit 1956,' dan is dat waar. Is er een echte, conceptuele verbetering, een doorbraak opgetreden in de antidepressiva in de afgelopen vijftig jaar? Nee, die is er niet.

Men denkt – daar zijn aanwijzingen voor – dat het stresssysteem in hoge mate betrokken is bij depressie. Er wordt gewerkt aan medicijnen die dat systeem proberen te reguleren. We weten ook dat mensen die gevoelig zijn voor depressie, een overactiviteit in bepaalde delen van de hersenen hebben. Het gevaarsignaleringssysteem bijvoorbeeld. En men weet dat stress de hippocampus beschadigt. Daar wordt ook aan gewerkt. Tot nu toe heb ik geen echt heel nieuwe medicatie gezien. Als ze er zijn over vijftig jaar, is het op deze drie gebieden.

De kans dat iemand in zijn leven een depressie ontwikkelt, is vijftien procent, dat is een op de zeven mensen. Nu heeft ongeveer zes procent van de bevolking een depressie, dat zijn zo'n 750.000 mensen. Je kunt zeggen: 'Wat véél, vroeger slikte geen driekwart miljoen Nederlanders een antidepressivum!' Dat is waar, maar waarom was dat? Omdat het niet herkend werd! Je moet de huisartsen, therapeuten en psychologen die een depressie níet herkennen, de kost geven. Depressie is een zeer veelvoorkomende aandoening die gelukkig ook vaak weer vanzelf overgaat – ik vind ook niet dat je iedereen met een depressie medicijnen moet geven – maar dat het een veelvoorkomende ziekte is die al eeuwen bestaat... dat wordt vergeten!

Hoeveel mensen gebruiken bloeddrukverlagende middelen? Waarom heeft niemand het daarover? Kijk, daar kan ik me over opwinden. Waarom is het erger dat mensen antidepressiva slikken dan bloeddrukverlagende middelen? Waarom zegt niemand dat dát een schande is? Natuurlijk is het geen schande, een hoge bloeddruk is een ziekte en een depressie is dat ook. Wat is er in vredesnaam erg aan dat mensen antidepressiva slikken?

Nederlanders zijn geen grote pillenslikkers. We blijven calvinisten. En in de Bijbel staat dat alles zwaar is en dat lijden erbij hoort. Net zoals vrouwen die bevallen, geen ruggenprik krijgen. Het is volksaard. De Fransen bijvoorbeeld zijn dol op pillen en nog meer op spuiten. Dan weten ze zeker dat het werkt. Als je in Frankrijk zonder recept naar huis gaat, dan is de dokter niet goed, heb ik me laten vertellen.

Ik denk dat zeker 500.000 mensen in Nederland op dit moment aan een angststoornis of een depressie lijden. Dat is een conservatieve schatting.

Het is een vooruitgang dat we de ziekte eerder herkennen. Wat dat betreft ben ik een bio-optimist. Waarom depressies zolang niet herkend werden, lag aan de hulpverleners. Zij konden geen gesloten vragen stellen. Ze konden heel goed vragen: 'Hoe is het met u en hoe staat het met de relatie met uw vrouw?' Maar heel gewone vragen als: 'Is uw stemming goed? Slaapt u goed? Eet u goed?' Dat lukte niet.

Het juist diagnosticeren van een depressie is niet ingewikkeld. Theoretisch kan de huisarts net zo goed diagnosticeren als de psychiater. Er zijn vijftien vragen en als je daar de tijd voor neemt, ben je er in tien minuten of een kwartier achter of iemand een depressie heeft.

Soms is het wel ingewikkeld, omdat de mensen met andere klachten binnenkomen. Als een vrouw bij de huisarts klaagt over alsmaar ruzie met haar man, dan moet die huisarts wel bedenken dat die ruzies een gevolg zouden kunnen zijn van een depressie. Net als gedoe op het werk.

Ik weet niet of depressies horen bij het mens-zijn. Ik durf daar geen antwoord op te geven. Stress is een uitlokkende factor voor depressie en de geïndustrialiseerde wereld stresseert. Dat is al honderdvijftig jaar zo. Het is moeilijk na te gaan hoeveel depressieve mensen er waren in de middeleeuwen, maar dat depressie voorkwam is zeker zo.

Niemand kan aantonen dat het door de maatschappij komt. Het enige zekere is: het gaat weer over. Vanzelf. Voor de duidelijkheid: ik heb het hier niet over heel diepe, ernstige depressies. Het grootste deel van de lichte en matige depressies gaat over. De gemiddelde duur is twintig weken. Tachtig procent geneest, twintig procent wordt chronisch. Het is dom om iedereen direct pillen of therapie te geven. Het gros verloopt immers mild. Die kun je beter op zijn beloop laten.

Hier in het academisch ziekenhuis komen de zware gevallen. Mensen met een milde depressie zijn prima af bij de huisarts. De huisarts kan zeggen: 'Laten we het even aanzien, kom over twee weken terug en als het dan heel veel erger is geworden, kunnen we overwegen aan de medicatie te gaan.' Ik weet niet of er te makkelijk wordt voorgeschreven. In Amerika is het zo dat veel patiënten met een klacht automatisch een antibioticum krijgen voorgeschreven. Veel dokters willen iets doen, een daad stellen. Misschien schrijft men wel makkelijker voor dan vroeger. Maar antidepressiva zijn niet gevaarlijk: je gaat niet snel dood aan een overdosis. En tot nu toe kun je er niets van krijgen. Sommigen zijn al vanaf 1980 op de markt, dat is meer dan vijfentwintig jaar. Het is veilig. Dat kun je rustig zeggen. Het enige wat we niet zeker weten is wat de risico's zijn als je zeer lang slikt en ermee ophoudt. Misschien heb je dan een soort overgevoeligheid gecreëerd, dat je niet meer zonder kan. Maar er treden geen hersenveranderingen op, geen afname van de intelligentie en al dat soort griezelige dingen.

Dat antidepressiva verslavend zijn, is trouwens niet waar. Mensen verwarren verslaving en onthoudingsverschijnselen. Verslaving is dat je iemand van zijn antidepressivum afhaalt – net als met roken – en dat diegene na drie maanden uitroept: ik wil die antidepressiva weer! Dat zegt niemand. Zoals verslaafden kunnen snakken naar cocaïne of naar alcohol, zo snakt niemand naar een antidepressivum.

Als je ophoudt, krijg je wel vaak onttrekkingsverschijnselen. Als je stopt met neusdruppels, krijg je een dichte neus. Daarna ben je ervan af. Niemand zegt dan: ik snak naar mijn neusdruppels. Verslavende middelen geven je een kick. Een antidepressivum niet.

Als mensen zonder depressie zo'n pil slikken, gebeurt er ook weinig. Hoogstens maakt het ze wat minder uit. Zijn ze minder gevoelig voor spanning en onrust, meer *laidback*. Maar je wordt er heus niet gelukkiger van hoor, zoals bij cocaïne of amfetamine dat je denkt dat je de hele wereld aankunt.

In de testfases van elk antidepressivum wordt het middel ook gegeven aan gezonde mensen. Men weet dus dat er geen geluksgevoelens ontstaan. Dat is een misverstand. Als je een kick zoekt, kun je beter XTC slikken.

Ik ken geen studies die suggereren dat mensen die vaker een antidepressivum hebben gebruikt, makkelijker een depressie krijgen. Maar dat is ook moeilijk te ontwarren, want mensen die deze medicatie gebruiken hebben vaker depressies. Dus wat is oorzaak en gevolg? We weten dat als je ophoudt met de antidepressiva de depressie weer kan opkomen. Dóórslikken vermindert de kans op een depressie in hoge mate. Voorlopig zeggen we: 'Als je één depressie hebt gehad, hou dan na één of twee jaar op, want misschien ben je wel meer dan dertig jaar lang depressievrij.' Tegen mensen die drie depressies hebben gehad, zeggen we: 'Slik maar door, zonodig de rest van je leven.'

Ik ben de psychiatrie in gegaan – juist – omdat er nog zoveel te ontdekken valt. Vergeleken met twintig jaar geleden weten we al heel veel meer over depressie en bijvoorbeeld schizofrenie. Vraag een willekeurige geneticus of neuroloog, die weet ook meer niet dan wél. Zo luidt het spreekwoord toch ook: een dwaas kan honderd keer meer vragen dan honderd wijzen kunnen beantwoorden. En zo is het."

Bianca

'Na drie dagen begonnen de eerste afkickverschijnselen.'

Aangekomen op het vakantieadres ontdekte Bianca (52) dat de antidepressiva nog thuis lagen. Niet zo erg, dacht ze. Ze kreeg een *cold turkey*.

"Ik slikte al jaren Seroxat en mijn libido was bijna weggeebd. Ergens best plezierig: als alleenstaande moeder miste ik het gemis niet zo. Maar toch. Ik wilde ook aan mijn gerief komen. Ik fantaseerde en vingerde erop los, maar klaarkomen lukte bijna niet meer. Je geilheid verliezen, niet meer opgewonden worden, ik vond het vrij ontluisterend.

Een paar jaar geleden ging ik met mijn kinderen en een bevriende familie naar Italië. Daar hadden we voor twee weken een oude boerderij in de bergen gehuurd. Eenmaal aangekomen bleek dat ik de Seroxat was vergeten. Laten liggen op het plankje bij de wastafel. Ach, dacht ik, dat is zo erg niet. Maar zo erg was het dus wel. De eerste dagen was ik bibberig, duizelig, jankerig. Na drie dagen kreeg ik de eerste echte afkickverschijnselen. Ik was zenuwachtig, paniekerig en werd gedreven door een grote onrust. Mijn blik raakte vertroebeld. Ik kon niet echt genieten. Ik voelde me zeer verantwoordelijk voor het welslagen van de vakantie en was almaar bezig met 'de anderen': hadden die het wel naar hun zin?

Op dag vijf reed ik in mijn eentje in de huurauto naar het naburige dorp om boodschappen te halen toen ik spontaan werd overvallen door een orgasme. En direct daarop nóg een.

Compleet met samentrekkende vagina, helemaal echt. Ik had mijn handen aan het stuur, deed niets raars. Het was alsof mijn lichaam zich plotseling realiseerde dat het 'weer mocht'. Alsof de onderdrukte seks en geilheid van jaren eruit kwamen. Het was... lekker ja, maar ook volstrekt *spooky*.

Twee dagen later ben ik naar huis gegaan met mijn kinderen. Ik vond het onverantwoord. Thuis ben ik weer gaan slikken en dat doe ik nog steeds. Dit verhaal heb ik nooit aan iemand verteld."

Bianca is een gefingeerde naam.

Ruben

'Vanaf mijn zeventiende schoot elke dag door mijn hoofd: ik wil dood.'

Zijn vriendin vond hem net op tijd. Ruben (36) stond al in het trapgat met het touw in zijn handen. De psychiater leerde hem praten, de antidepressiva maakten hem slaperig.

"Tot mijn twaalfde was een heel gelukkige periode. Daarna werd het telkens een heel klein beetje minder. Met golfjes. Ik werd nors, stil, maakte ruzie. En zette me af tegen leuke dingen. Dat deden mijn ouders ook altijd. Mijn vader was bijvoorbeeld niet bij mijn diploma-uitreiking. Mijn ouders vierden sowieso niets. Op hun kalender staan nul vrienden. Vroeger werd de telefoon alleen gebruikt voor klanten. Er heerste bij ons thuis een soort vreugdeloosheid. Het enthousiasme dat mijn vriendin voor van alles kan opbrengen, dat ken ik helemaal niet. Dat is onderontwikkeld. Blij zijn, lol maken, ergens van genieten: dat leer ik nu pas.

Op mijn vijftiende was ik een jongen met behoorlijk stevige acné uit een gezin waar nooit werd gepraat. Misschien was ik best wel geïnteresseerd in meisjes, maar ik had de durf er niet voor met ze te praten. Als ik erop terugkijk, beschouw ik de middelbareschooltijd als een vreselijke periode. Toen ik ging studeren, werd het tijdelijk wat beter. Ik kreeg nieuwe vrienden, voelde me wel weer gewaardeerd, maar die vrienden werden gevraagd voor een dispuut en ik niet. Dat vond ik zo erg. Misschien had het ook te maken met mijn achtergrond. Mijn ouders zijn volks, een beetje dwars. Toen ik begon te studeren, droeg ik een gouden ketting, ik was vrienden met bouwvakkers en met de jongens uit het dorp. Een van mijn studievrienden zei: 'Leer nou eerst eens netjes eten.' Ik vrat als een boer. Daar heeft hij me erg mee geholpen. Mijn accent is minder geworden. Ik heb echt een milieubreuk moeten maken.

Het gezin was heel gewoon en er was geld. Mijn vader had een groot eigen bedrijf, verdiende hartstikke goed. Mijn ouders hebben zich daardoor nooit iets hoeven aantrekken van wat *upper class* is. Mijn vader heeft geen gevoel voor status. Op zich kan dat een heel leuke eigenschap zijn. Maar als je bent zoals hij, en je handelt vanuit totale onverschilligheid, dan is het minder. Als mijn vader op een smalle brug staat en er komt een tegenligger aan in een dure Mercedes, dan zet hij de auto niet in zijn achteruit. Dat zou hij wel doen voor een oude Opel Kadett. Die eigenwijze dwarsigheid van hem heeft me gevormd.

In mijn studententijd had ik niet door dat het handig was om bij het corps te gaan, om me over een paar weken vernedering heen te zetten. Ik was onhandig, bouwde nog aan mijn identiteit, had niet geleerd te communiceren. Zo onzeker.

Tijdens het eerste jaar van mijn studie durfde ik docenten geen vragen te stellen, en veroverde ik dus nooit dat lekkere plekje dat ik op basis van intelligentie zou kunnen hebben. Ik dacht jarenlang dat ik niet echt slim was. Ik was zo verlegen dat ik bepaalde vakken niet deed. Er waren werkcolleges waar je moest praten. Dat durfde ik niet. Dus haalde ik mijn studie niet. Toen ben ik bij mijn vader in de zaak gegaan. Na twee jaar stapte hij eruit en nam ik het over met twee neven. Ik was 25 jaar. Tachtig uur in de week werken. Er was geen enkele ruimte om aan iets anders te denken. Gewoon beuken. Ik had nog niet de kracht om tegen mijn neven te zeggen: 'Goh, misschien moeten we dat anders aanpakken?' Er was geen enkel moment van rust. Alle dagen werken. In het weekend naar de kroeg, zaterdagmiddag biljarten en dan was het zondag en zondagavond moest ik klanten bellen en begon de werkweek eigenlijk al weer. Ik was doorlopend op de vlucht voor mezelf. Ik voelde me... ik kon niet verwoorden hoe ik me voelde. Het ontbrak me aan alle zelfvertrouwen en aan elk zelfrespect.

Mijn vader heeft het zijn hele leven volgehouden zo te zijn. Ik niet. Ik werd overspannen. Toen ik stopte met werken, sloegen de stoppen door. Ging het heel erg mis. Ik was 27 jaar toen ik een serieuze poging tot zelfdoding deed.

Mijn vriendin zei: 'Ik ga hulp voor je zoeken.' Mijn vader zei niets. Toen ik overspannen thuis zat, was zijn reactie: 'Joh, als jij je er niet fijn bij voelt, moet je het maar opgeven.' Dat onverschillige. Ik weet nog dat ik eigenlijk boos was op die reactie. Ik had weerstand van hem willen krijgen. Hij had moeten zeggen dat hij het vreselijk voor me vond. Mijn ouders wisten dat het niet goed met me ging, maar er kwamen geen vragen. Er kwamen nooit vragen. Later heb ik wel eens tegen ze gezegd dat ik het prettig zou vinden als ze me bijvoorbeeld één keer per week zouden bellen. Ik zei: 'Voor mijn part zetten jullie het op de kalender!' Ze hebben nooit gebeld. Dat is nog steeds pijnlijk. Maar eigenlijk is het nooit anders geweest. Als ik in mijn studententijd drie maanden niet langskwam, hoorde ik ook niks. Ze hoefden niet te weten waar ik uithing, wat ik deed. Er was gewoon geen interesse.

Je kunt het ook contactangst noemen. Of een soort walgelijke bescheidenheid. Mijn ouders hebben zich hun leven lang klein gemaakt. Ik ook. Ik was bang voor winkels, bang voor vragen, bang voor telefoneren. Het is een wonder dat ik dat allemaal te boven ben gekomen.

Ik had het touw waarmee ik me zou verhangen in mijn hand. Ik stond in het trapgat toen mijn vriendin me vond. Ik dacht er toen al een jaar of tien over om er een einde aan te maken. Vanaf mijn zeventiende schoot elke dag door mijn hoofd dat ik dood wilde. Mijn gedachten gingen als volgt: waarom zou ik hier eigenlijk zijn? Er is niets aan. Het leven is niet leuk en er zijn geen zonnige momenten.

Alleen als ik een waanzinnige hoeveelheid drank op had, leek het even leuk. Maar de volgende dag kwam de klap dan nog harder aan. Begon het malen opnieuw.

Ik kon niet meer tegen de hopeloosheid. Als mens loop je altijd wel met tien problemen rond waar je er negen van kunt oplossen. Ik kon er negen niet oplossen. En de volgende dag kreeg ik er weer tien bij waarvan ik er opnieuw negen niet kon oplossen en de volgende dag weer en weer. Dat mondde uit in een eindeloos hopeloos gevoel. Ik werd er zo moe van dat ik liever dood wilde. Het is als die emmer met die druppels. Hij loopt maar niet over. Er komt een kop op en ik kreeg die kop er niet af. Nooit.

De psychiater zette me onmiddellijk op de Fevarin. Het was een opluchting. Er gebeurde wat. De pillen maakten me een beetje zichtbaar. Eerst was ik onzichtbaar en wilde ik dood. Nu kon ik zeggen: ik heb medicijnen. Zelf erkende ik mijn probleem nog niet, maar de medicijnen maakten het wel serieus.

Overigens merkte ik niets van die pillen. Ik bedoel: ze maakten me niet minder depressief. In feite hielden die pillen me anderhalf jaar een beetje voor de gek. Ze zorgden voor een suffig, slaperig gevoel. Om twaalf uur 's middags kreeg ik slaapbehoefte en ging ik een paar uur dutten. Ik heb het ervaren als een vorm van vertroeteling. Ik mocht even soezen op de bank.

Maar de bedoeling is natuurlijk dat je die bult van die emmer afkrijgt. Dat doen antidepressiva niet. Pillen lossen je problemen niet op.

Ik denk dat veel mensen die antidepressiva slikken, eigenlijk gewoon een schop onder hun reet nodig hebben. Dat gold in ieder geval voor mij. Ik had zetjes nodig. De pillen waren een zetje. Geen middel.

Daarom betwijfel ik of de rol van de antidepressiva groot is geweest in het genezingsproces. Het praten opende mij de ogen. Dat is wat ik bij de psychiater heb geleerd. Van haar heb ik geleerd de depressie hanteerbaar te maken. Te onderzoeken of het leven misschien toch de moeite waard was. Maar even zo goed schoot de doodsgedachte nog steeds elke dag door mijn hoofd. Voor, tijdens én na de pillen.

Ik vond het fijn te stoppen met de Fevarin. De mist trok op. Ik hoorde de vogels weer fluiten. Letterlijk. Dat gaf even een tijdelijke *boost*, zo van: jeetje, wat is het een zonnige wereld! De vraag blijft natuurlijk: wat heeft gewerkt? De pillen, het praten? Wat echt werkte, dat weet ik zeker, was dat die psychiater maar bleef zeggen hoe knap ze het vond dat ik ondanks alles weer was gaan studeren. Toen de therapie na een paar jaar stopte, was ik 'genezen' verklaard. Maar eigenlijk begon het toen pas. Ik stond in de kleuterschoenen en ging... volwassen worden. De gemene deler van depressievelingen is dat het vaak mensen zijn die zichzelf slecht in de spiegel kunnen aankijken. Voor mij gold dat letterlijk vanwege die acné. En figuurlijk ging het ook op. Ik kon niet relativeren. Ik heb echt moeten leren dat ik niet hopeloos ben. Dat ik best wel de telefoon kan pakken of een winkel durf in te lopen. Dat ben ik gaan toepassen door de therapie. Als ik nu een goede bui heb, begin ik in de trein gesprekjes met wildvreemden. Op een bruiloft of een feestje kan ik praten en vragen stellen. Ik geef colleges aan groepen van vierhonderd man.

Ik ben mezelf geworden. Dit is Ruben. Die pillen waren in het begin de katalysator. Mijn houvast was mijn vriendin, de studie die ik weer oppakte, dat ik iemand tegenkwam met wie ik later een bedrijf begon, de komst van mijn kinderen. Allemaal zetjes. Zoals ik me nu voel, is nog niet zo lang. Mijn psychiater heeft indertijd tegen me gezegd dat die doodswens me misschien wel mijn hele leven zou blijven achtervolgen. Dat is zo. Pas de laatste weken is het er soms een dag níet. Dat is volstrekt uniek. Ik zeg altijd: ik heb de penopauze al gehad. Die periode van depressie, dat was een ontwikkelingscrisis. Ik heb mijn portie gehad."

Ruben is een gefingeerde naam.

Toine Pieters

'Dat gebiologiseer van de jaren '90: ineens praatte iedereen in het café over neurotransmitters.'

Toine Pieters (46) weet hoe het allemaal zo gekomen is met antidepressiva. Een college van deze bijzonder hoogleraar in de geschiedenis der farmacie aan de Rijksuniversiteit Groningen over waarom pillen slikken sexy is en over het wachten op de nieuwste hype: psycho-cosmetica.

"De Zwitsers hadden de primeur. Zij ontwikkelden eind jaren vijftig van de vorige eeuw een van de eerste medicijnen met een antidepressieve werking. De depressievelingen dansten ineens vrolijk door de straten. De terneergeslagenen leefden op. Oké, het is een anekdote. Maar toch.

Depressie was toen overigens helemaal niet interessant. Het was echt het laatste ziektebeeld waar farmaceuten in investeerden. De Amerikanen zijn depressies gaan promoten. Begin jaren zestig verschenen de eerste klassieke antidepressiva. Maar die kregen geen voet aan de grond omdat tegelijkertijd valium en librium in de markt werden gezet. Vergeleken met de antidepressiva – met hun grote bijwerkingen – waren de benzodiazepines wondermiddelen. Slikte je valium of librium... dat was één keer blazen en weg was het probleem!

Depressie was taboe. Wie depressief was, kreeg een enkeltje psychiatrische inrichting. Een enkeltje Venray of Vught. In werkelijkheid kregen die mensen daar vaak een elektroshockbehandeling. Men vond: 'Eén keer depressief, altijd depressief.' Het was pappen en nathouden met die mensen.

Ook in de jaren zeventig was depressie bij lange na niet de populaire volksziekte die het later is geworden. Dat zou nog twintig jaar duren.

Het was de tijd van de 'kritiese psychiatrie'. Het pathologische werd genormaliseerd en het normale werd gepathologiseerd. Men 'ontdekte' dat psychische problemen ontstonden door de omgeving. Het lag niet aan jezelf! De samenleving was gek geworden en normale mensen waren even gek als echte gekken. En dus kon men ook met 'alledaagse levensproblemen' therapeutisch aan de slag.

Door de emancipatie van geestesziekten kregen chronische patiënten aandacht voor hun problematiek, maar werd vooral de problematiek van normale mensen gepsychologiseerd en gepsychiatriseerd. Vroeger was het: 'Ach joh, je hebt het even moeilijk, zet maar door.' Nu werd het gelabeld als een echte kwaal.

Er ontstond een grote uitbreiding van psychische aandoeningen. Net een olievlek. Er lagen nieuwe kansen en mogelijkheden. In markttermen gesproken dus hè!

In Amerika gebeurde hetzelfde. Eerst was 'naar de *shrink* gaan' Woody Allen-achtig gedoe, bedoeld voor de elite. Kunstenaars en schrijvers psychologiseerden. De massa niet. Maar in de jaren zeventig ontdekte diezelfde grote middenklasse de geest als een terrein waarvoor ze hulp konden vragen. Men ging massaal op vakantie, genoot massaal hoger onderwijs én ging massaal de geest exploreren. Het zelfhulpboek deed zijn intrede. Riaggs namen een hoge vlucht.

Je kunt zeggen: het lag aan de drukte van het moderne leven. Maar druk was het altijd al. Ook al halverwege de negentiende eeuw, want toen kwam de klok en toen had men ook stress. Nieuw in de jaren zeventig was: er waren massamediale mogelijkheden om de boodschap uit te dragen en gevoel met elkaar te delen. Massaconsumptie deed zijn intrede.

De jaren tachtig zijn de jaren van de stemmingziektes. Er ontstond een heel nieuwe serie aandoeningen: pleinvrees, straatvrees, mensenvrees… En er was behoefte aan medicatie. Dat was niet nieuw. We hebben altijd al het verlangen gehad ons beter te voelen. Wel nieuw was dat gewone levensproblemen werden gemedicaliseerd. Terugkijkend zie je dat door die opmars van medicalisering van alledaagse problemen de weg werd geëffend voor de komst van de nieuwe antidepressiva in de jaren negentig.

De grap is, eind jaren tachtig waren we valium en librium beu. Benzo's kregen een heel slechte naam. En zoals dat altijd gaat, is de opgang van de een, de ondergang van de ander. Daar waren de SSRI's!

Het paste in de wensen die we hadden. Na al dat praten en psychologiseren waren we eind jaren tachtig praat-moe. We wilden actie! Net zoals Thatcher en Reagan oorlog voerden, wilde ook de gewone burger wapenfeiten. Publiciste Emma Brunt verwoordde het mooi: 'Ik wil dat gezeik niet meer! Ik wil naar een arts gaan en om een medicijn kunnen vragen, want die zijn er gewoon!'

De SSRI's werden eerst bij de psychiater neergezet en voorgeschreven aan mensen met zware en matige depressies. Maar het indicatiegebied breidde zich uit. Van de specialist verhuisden de SSRI's al snel naar de huisarts en kijk eens wat prachtig: mensen met lichte depressies bleken er ook behoefte aan te hebben. De consument was er klaar voor.

Het slikgedrag dat we door de tijd heen vertonen, is als eb- en vloedbewegingen. Met de komst van de SSRI's ontstond een vloedbeweging, een *swing* in pillengebruik naar boven, maar wat er vooral gebeurde was dat we anders over pillen gingen praten. Het werd sexy! Er ontstond een Prozac-generatie. De grachtengordel van Amsterdam ging het promoten. Begin jaren negentig surfden we op de golf van Emma Brunt. En die grote golf bereikte vervolgens de grote massa. Zo gaat het altijd. Goed nieuws verspreidt zich razendsnel via de media. Iedereen wil doen wat de mensen in Hilversum doen. Dat is het aardige aan hypes. Het zijn cycli van belofte en hoop die worden aangezwengeld door schrijvers, kunstenaars, filmsterren. De massa wil zich spiegelen aan wat zij slikken. Binnen een à twee jaar is het volk bereikt.

Brunt heeft het debat mede vormgegeven. Zij heeft het taboe helpen verdwijnen. Voortaan moesten huisartsen antidepressiva gewoon in hun pakket hebben. Ze moesten ook niet zeggen: 'Probeer het eerst even zonder.' De klanten van de huisarts wilden serieus genomen worden, ook in hun behoefte aan farmaceutica.

In de jaren negentig kreeg je natuurlijk ook dat gebiologiseer. Het verhaaltje dat je serotonine te laag of te hoog was en daaraan gerelateerd hoe je stemming was. Dat deed het goed. Ook in de kroeg. Mensen gingen borrelpraat met elkaar houden op neurotransmitterniveau. Het is natuurlijk gesimplificeerd van heb ik jou daar, maar de boodschap was geweldig. Met dat pilletje kon je die stemmingsmodulatoren een beetje meer of minder beïnvloeden. Het was zo helder als wat: depressie werd veroorzaakt door een serotoninetekort, *whatever*, je nam een pilletje en je voelde je beter.

Hé, dat is leuk, het verhaal belandde bij de gewone mens. Het werd volkstaal. Dat heeft de mythe rond antidepressiva versterkt en het succes enorm groot gemaakt.

Maar: het begint met belofte en hoop. Prozac schopte het tot wondermiddel. Vervolgens komt de teleurstelling. Die kwam eind jaren negentig. Niet vreemd, want we zaten in de economische prut. We zijn nog feestend de jaren negentig uit en het nieuwe millennium ingegleden, maar daarna was *the party over*. Nederland was een grote puinhoop. Politiek, economisch en sociaal. We zaten met een multiculturele samenleving, die plotseling enorme problemen met zich meebracht. Er kwam zand in het radarwerk. En die pillen die we hadden en die het zo goed leken te doen, bleken nare bijwerkingen te hebben. Het zakte in elkaar. Maar... dat wil niet zeggen dat we ineens minder gingen slikken. Want je ziet juist dat de gebruikscijfers omhoog gingen. Voor een deel is dat het na-ijl effect. Een soort mammoettanker die maar zeer langzaam van koers kan veranderen. Bovendien bleef de existentiële behoefte aan farmaceutica gewoon bestaan. Daarnaast telt mee dat veel mensen de eerste vier à vijf jaar van het nieuwe millennium een 'einde-der-tijden-gevoel' hadden. Ellende is altijd gunstig voor de pillenomzet. Maar de belangrijkste reden voor de grote populariteit van de SSRI's is het feit dat er geen alternatief is.

We zijn klaar voor een nieuwe generatie pillen. We hebben pilletjes nodig die op maat en op afroep de stemming kunnen veranderen. Psycho-cosmetica. Je mag verwachten dat er binnen nu en vijf jaar een nieuwe groep medicijnen is die in dit indicatiegebied een grote rol gaat spelen. Medicatie zal kleiner, fijner en regulerender zijn. Het is wachten op de nieuwe *lead drug*. De behoefte is er. Maar hoe het uitpakt, weten we niet. We hopen natuurlijk allemaal op de psychische wonderdrug."

Monique

'Ik verloor mijn verstand in de winkel.'

Monique (50) kocht om verlost te worden van de depressie. Antidepressiva zouden moeten helpen tegen de koopverslaving, maar dempten deze niet. Dertigduizend euro schuld was het gevolg.

"Het was 2001 en ik zag tijdens de Drie Dolle Dwaze Dagen een bank. Een leuke bank. Ik vroeg aan de kinderen: 'Vinden jullie hem mooi?' Ja, ze vonden hem mooi. Toen zei ik: 'Zullen we hem dan gewoon maar kopen?' Ik had geen geld op de bankrekening, geen geld op de girorekening. Ik had helemaal geen geld. Ik had wel een creditcard van de Bijenkorf. Mijn uitkering bedroeg 1280 euro. Dat was de prijs van de bank. Toen ik thuiskwam, dacht ik: o ja, even opmeten. Bleek dat ik een bank had gekocht die niet in mijn huis paste. Het was een breekpunt. Het was het moment waarop ik besefte: ik ben ziek. Dit is geen 'koopziekte' meer, dit is een dwang. Ik heb een koopverslaving.

Ik was 43 toen ik antidepressiva ging slikken. Ik was nog getrouwd en ongelukkig in het huwelijk. Ik had nergens meer zin in. De kinderen – toen negen en vijf – hielden me op de been. De huisarts zei: 'Als je je alsmaar zo voelt, lijkt het me beter dat je pillen neemt.' Ik dacht dat ik het niet nodig had. Het deed me denken aan wat Youp van 't Hek tijdens een oudejaarsconference ooit zei: 'De helft van de Nederlanders is aan de antidepressiva, dus wie is er nou zo gelukkig met oudjaar?' Alle jaren daarna dacht ik op 31 december: nou, ik dus niet.

Kopen is jarenlang een medicijn tegen mijn sombere stemming geweest. Toen ik nog geen geld had, tussen mijn achttiende en vijfentwintigste, kon ik me beter beheersen. Toen heette het ook nog 'koopziek'. Koopzieke mensen winkelen graag en zijn blij met wát ze kopen. Koopverslaafden worden blij omdát ze kopen. Ik móest kopen. Ik werd naar de winkels gedreven. Het heeft niets te maken met 'niet kunnen budgetteren'. Ik verloor gewoon mijn verstand in een winkel.

Of eigenlijk verloor ik mijn verstand al daarvoor. Het begon bij de gedachte te gaan kopen, bij het zien van de aanbiedingen in de krantjes. Dan al stroomde de adrenaline door mijn lijf en was de gedeprimeerde stemming even verdwenen.

Ik zag de afgeprijsde zitkussens, apparaten en badjassen en dan begon de onrust in mijn hoofd: dat kun je niet laten liggen! Je bent een sukkel als je dát laat gaan.

Het was de voorpret. Want had ik die stapel handdoeken of broeken en bloesjes eenmaal verzameld en stond ik in de rij voor de kassa, dan begon het te knagen. Eigenlijk sloeg de twijfel al toe in de paskamer. En na het afrekenen was er het schuldgevoel. Het vermeende geluksgevoel, de tijdelijke vlucht uit de depressie, was allang verdwenen. En dan kwam de vraag: kan ik me het eigenlijk wel veroorloven? Zei de andere stem: ach, je hebt op die rekening nog wat staan en op de giro heb je nog een tegoed en binnenkort komt dat en dat weer binnen...

Thuis legde ik de boel op het bed. Ik wist dat ik alles terug zou moeten brengen, maar ik deed het nog éven niet. Ik hing de kledingstukken in de kast en liet de kaartjes eraan zitten. Dan kon ik ze morgen misschien terugbrengen. Dat was het vage plan. En zo kon het gebeuren dat op een dag mijn kledingkasten uitpuilden van de ongedragen kleding nog voorzien van de kaartjes uit de winkel. En dan heb ik het nog niet eens gehad over de schoenen, de boeken, de cd- en dvd-boxen. Altijd meer dan één. Want één ding bevredigde niet voldoende.

Later heb ik gehoord dat de antidepressiva hadden moeten

werken tegen mijn koopverslaving. De medicatie verdrijft niet alleen een sombere stemming, maar zou ook dwangneigingen moeten onderdrukken. Bij mij werkte het niet. In de periode 2001 tot 2005 was mijn koopverslaving op de toppen van zijn kunnen en de dosis antidepressiva op zijn hoogst. Én ik zat in therapie. Het hielp niet het patroon te doorbreken. In de ergste periode had ik dertigduizend euro schuld. Ik meed de Bijenkorf, maar ging naar het Kruidvat. Daar kocht ik gigantische hoeveelheden schoonmaakmiddelen in de aanbieding. Of heel veel vleeswaren in de supermarkt. Of snoep: niet één zak, maar gelijk vijf.

Ook de therapie genas me niet van de koopverslaving. Wel heeft het voor meer inzicht gezorgd. Ik weet nu wat de alarmsignalen zijn en dat de drang tot kopen onlosmakelijk verbonden is met mijn stemming. Dat is waar ik aan moet werken. Ik ben eerlijker naar mezelf geworden.

Voor het eerst sinds lange tijd gaat het nu beter met me. Dat komt door de antidepressiva en door de gelukbevorderende omstandigheden: het gaat goed met mijn kinderen en met mijn vriend, die me helpt de verslaving te beteugelen. Omdat ik minder somber ben, heb ik minder last van koopaanvallen. Ik word nog steeds bij tijd en wijle getriggerd, maar meestal kan ik rechtsomkeert maken als ik in de boekwinkel romans begin te stapelen.

Ik besef dat ik de medicatie nodig heb. Ik kan dat nu toegeven. Ik mag zwak zijn van mezelf. Zwak durven zijn, voelt als dertig jaar teruggeworpen worden in de tijd. Het is alsof ik net op kamers woon. Het is een soort nieuwe start. De pillen bieden me een helpende hand. De wereld is er behapbaar door geworden."

Carl Janssen

'Na het patentverloop verlies je 90 procent van de omzet.'

Farmaceut Pfizer is maker van Zoloft – het patent is twee jaar geleden verlopen – en Viagra. Medisch directeur Carl Janssen (42) over uitvinden, patenten en 800 miljoen euro.

"De eerste stap wordt gezet op de tekentafel. Of op de pc. Daar knutselt een knappe chemicus een molecuul in elkaar dat misschien, heel misschien iets zou kunnen doen. Lang voordat er een proefdier, laat staan een mens aan te pas komt, denk je: dit zou iets kunnen zijn. Op dat moment moet je als farmaceut patent aanvragen. Dan ga je aan de slag met de ontwikkeling van het geneesmiddel. Volgens de klassieke planning zit er acht à twaalf jaar tussen het moment aan de tekentafel en het moment dat autoriteiten zeggen: 'Dit is een werkzaam en veilig middel.' De kosten van die enorme logistieke operatie bedragen achthonderd miljoen à een miljard euro. Het patent, dat op moment nul wordt aangevraagd, loopt twintig jaar. Dat is een belangrijk argument om de ontwikkeltijd zo kort mogelijk te houden. Want als je al twaalf jaar bezig bent met sleutelen, hou je nog maar acht jaar over om geld te verdienen.

Tijdens de ontwikkeltijd doe je onderzoek, proefdieronderzoek, test je het middel bij mensen. En publiceer je je bevindingen. Je mag onderzoeksresultaten niet voor jezelf houden. Maar het is gepatenteerd, dus jouw specifieke stof is veilig. Je schrijft de hele boel dus op, je laat het goedkeuren en dan kan de vlag uit. Het geneesmiddel wordt geïntroduceerd.

We doen al tweeënhalf jaar weinig meer met Zoloft omdat het patent is verlopen. De werkzame stof in de pillen is inmiddels zeer goed gedocumenteerd. Daar is niks geheims meer aan. De producenten van generieke geneesmiddelen konden hun merkloze variant gaan maken. Als je als nieuwe fabrikant kunt aantonen dat het generieke middel farmaceutisch gezien hetzelfde doet als het merkpreparaat, krijg je overal ter wereld toegang tot de markt. Op de dag dat het patent op Zoloft verliep, kwamen er diverse kopieën op de markt. Zo is het systeem en daar hoef je niet om te janken, vind ik.

Als fabrikant zie je na het patentverloop in de loop van een paar maanden tachtig of negentig procent van je omzet verdwijnen. Dat komt omdat de voorschrijvers – huisartsen en psychiaters – massaal de merkloze geneesmiddelen gaan voorschrijven. Die zijn namelijk minimaal veertig procent goedkoper.

Voor Pfizer is Zoloft klaar. Commercieel is het niet meer interessant. Meer antidepressiva hebben we op dit moment niet in het pakket. En het is maar de vraag of er binnen aanzienbare tijd iets nieuws komt. Uitvindingen kun je niet plannen. We zouden het wel willen. Pfizer besteedt per jaar miljarden aan research en development, maar de start van een vondst is vaak het ophelderen van het mechanisme van de ziekte. Als je dat niet weet, wordt het een schot hagel.

We weten nog steeds niet waar MS begint en over alzheimer wordt nu gezegd dat het een vaatgerelateerde aandoening is. Wellicht. Terwijl altijd gedacht werd dat het te maken had met hersenweefsel. Voor depressie geldt dezelfde onduidelijkheid. Als je de oorsprong van een ziekte niet echt weet, kun je niet gericht zoeken naar een oplossing.

Ooit is depressie behandeld met MAO-remmers. Deze voorlopers van SSRI's remden de afbraak van serotonine, een stof in de hersenen. Dat bleek iets te doen en dat werd een *lead* voor verder onderzoek. Zo zijn antidepressiva als Prozac, Zoloft en Cipramil ontstaan.

Was depressie een infectieziekte geweest, dan had het misschien allang niet meer bestaan. Maar zo simpel is het niet. Medicatie ontwikkelen voor aandoeningen aan het centraal zenuwstelsel is zeer complex. Ik weet ook niet of je depressie puur biologisch kunt verhelpen. Want: is depressie een genetische kwestie? Wordt het bepaald door omgevingsfactoren? Of is het een combinatie daarvan?

Daarnaast is er ook nog die fascinerende kracht van de verbinding tussen lichaam en geest. Wij hebben thuis altijd hard gelachen om de oma van mijn vrouw, die zich al beter voelde als ze iets slikte dat technisch gezien nog niet kon werken omdat de tablet nog niet eens in haar maag was aangekomen. Toch knapte ze bij wijze van spreken al op na het glas water. Onderschat niet het effect van placebo.

Bijna iedere dag melden zich bij ons briljante wetenschappers met hét middel tegen een bepaalde aandoening of dé oorzaak van een nog moeilijk te behandelen ziekte. Soms worden die vondsten gekocht en verder ontwikkeld. Als bedrijf hebben we honderden producten in ontwikkeling waarvan er misschien maar een paar echt op de markt zullen komen. Het zijn spannende tijden. Eigenlijk ruik je elke dag een beetje aan de toekomst."

Kiki 

'Ik had het kortste lontje van Nederland.'

Ze is er geen zoete fee van geworden. Maar de hekserige Kiki (49) bestaat niet meer. Seroxat maakt haar zacht en lief. Ze stopt er nooit meer mee.

"Het verhaal begint bij mijn moeder. In 1994 verscheen *De breinstorm,* het boek van Emma Brunt over haar depressie. Ik las het op de dag dat het uitkwam. Brunt schreef in haar boek ook een stukje over haar moeder. Ze was er achtergekomen dat haar moeder geen rotmoeder was, maar een depressieve moeder. Ik had net zo'n erge moeder als Emma Brunt.

Ik heb mijn moeder nog diezelfde dag gebeld. Ze zat toen in een gruwelijke periode waarin ze alleen maar zeikte, onhartelijk en onaardig was. Als wij, de kinderen, kwamen was het niet goed, als we niet kwamen was het niet goed en ze kwam ook niet bij ons, want daar zou ze toch niet welkom zijn. Zo'n moeder.

Ik belde haar en zei: 'Mam, er ligt nu een boek in de winkel dat jij morgen móet kopen want ik hou er rekening mee dat jij depressief bent.'

'HOEZO, IK DEPRESSIEF,' snauwde ze terug. Ik probeerde aardig te blijven. 'Mam, laten we er geen doekjes om winden, ik lees dit boek en jij hebt alle symptomen van een depressief iemand. Je staat altijd woedend op. En dus ben je twee keer per dag woedend: 's morgens en 's middags na het dutje. Je vindt het leven gewoon niet leuk en je doet geen enkele poging om het leuk te maken.' Ik ging door: 'Mam, koop dat boek, ga naar de huisarts en vraag om Prozac. Helpt het niet, dan is er niets aan de hand.'

'Hoeveel kost dat?' Mijn moeder was geobsedeerd door geld.

Ik zei: 'Voor mijn part betaal ik het, maar als je je geluk kunt kopen voor veertig gulden per maand, dan moet je dit direct doen. Daar doe je jezelf, ons en vooral Pa een groot plezier mee.'

Mijn moeder heeft me nooit goed kunnen uitleggen waarom, maar ze heeft mijn advies opgevolgd. Letterlijk tot haar dood heeft ze gezegd: 'Ik ben je mijn hele leven dankbaar voor dát telefoontje.'

Na twee weken Prozac slikken, belde ze me heel vrolijk op en zei: 'Nou, het helpt voor geen meter!' Zei ik: 'Nou, volgens mij wel, want je klinkt zo lekker.' Van een vervelend, negatief kutwijf veranderde mijn moeder in een ontzettend lieve, warme en hartelijke moeder die oprecht van ons en haar kleinkinderen ging houden.

Ik kreeg een móeder. 'Werk je niet te hard, kind?' 'Laat David hier maar logeren!' 'Heb ik je ooit verteld dat ik heel veel van je houd?' Ik was altijd het zwarte schaap van de familie. Toen mijn moeder Prozac ging gebruiken, heb ik op een dag tegen haar gezegd: 'Volgens mij ben ik je lievelingskind geworden.'

Ze was me zo dankbaar. Ze voelde zich bevrijd van dat boze. De duivel, het woedende. Dat eeuwige nare. Ze maakte er iedereen stapelgek mee. Anderen de grond intrappen, altijd net het ongezellige antwoord geven.

Ik was behept met diezelfde onberekenbare woede. Om niets. Mijn toenmalige vriend had er last van en zei altijd: 'Jij bent een heel mooi kastje dat ik nooit kwijt wil, maar opeens schuift er uit dat kastje een laatje open dat me keihard in mijn gezicht slaat.'

Als ik een restaurant binnenkwam, had ik direct ruzie met de ober. Die hing mijn jas verkeerd op, zette me op een akelige stoel. Dan zei ik tegen zo'n jongen: 'Als ik je baas was, zou ik je nu ontslaan.' De woede werd door het minste of geringste getriggerd. Ik had het kortste lontje van Nederland. Vaak wist ik: ik doe nu walgelijk, hou op! Maar het was oncontroleerbaar.

Toen mijn moeder zo veranderde door de pillen, zei ik tegen mijn toenmalige vriend: 'Zal ik ze ook eens proberen?' 'Nee joh,' zei hij, 'dat heeft geen zin, want jij bent helemaal niet depressief.' En daar had hij gelijk in.

Een paar jaar later ben ik ingestort op mijn werk. De huisarts zette me op non-actief en wilde me na een week weer zien. Hij ging een hele rij vragen met me af om te kijken of ik soms depressief was. Een van die vragen luidde: 'Als je morgen hoort dat je kanker hebt, wat moet ik dan doen?' Zei ik: 'Nou, dan kun je me lekker laten gaan en ik hoef geen chemokuur.' Toen zei hij: 'Kiki, dit zijn suïcidale gedachten.' 'Welnee!' zei ik, 'hoe kom je erbij! Ik hoef geen jaar te kotsen voor ik alsnog het graf inga.' Zegt hij: 'Dat snap ik en daarom vroeg ik het je ook, je bent geen type dat zegt: dokter, ik heb suïcidale gedachten.' Zo had mijn huisarts allemaal nare vragen waar ik intrapte. De eindconclusie was: Kiki heeft een depressie. Om te beginnen zette hij me op de medicijnen.

Het was bijna eng. De Seroxat sloeg direct aan. De depressie verdween eigenlijk meteen, maar het pakte ook het onbeschofte in mij aan. De woede smolt. Ik heb dezelfde persoonlijkheid behouden, maar ben niet meer zo vervelend voor mijn omgeving. Als ik nu een langzame ober tref, zeg ik tegen mijn man: 'Die jongen ziet er zo moe uit!' En vraag ik hem: 'Hoe lang heb je al gewerkt?' In plaats van: 'Wat is dit? Wil je dat ik wegga of zo?' Ik ben lief geworden. Heb mededogen ontwikkeld.

Mijn huidige man heeft lang gedacht dat de pillen niet nodig waren. Toen ik hem leerde kennen, vertelde hij me al snel dat hij nóóit meer een vrouw wilde die pillen slikte. Dat kwam door zijn ex. Die begon de dag met een *upper* en sloot af met een *downer*. Toen zei ik: 'Dan moeten we nu afscheid nemen, want ik ben aan de Seroxat.' 'O, maar jij bent toch een geweldig mens, dat heb jij toch helemaal niet nodig?' Anderhalf jaar heeft hij erover gezeurd dat ik moest stoppen. Ik zei hem telkens: 'Ik doe dit om jou te beschermen, want je weet niet hoe ik word zonder die pillen.' Tot we een keer op vakantie gingen en ik ze vergat. Op dag vier – we hadden al vier dagen verschrikkelijk ruzie – zei ik hem dat hij niet moest vergeten dat ik al vier dagen geen antidepressiva slikte. Toen pas begreep hij de noodzaak.

Ik denk dat het genetisch bepaald is. Zoals er in families een te hoog cholesterol kan voorkomen, zo is er in ons gezin een serotoninetekort. Mijn jongste zusje heeft het ook. Die moet je niet tegenkomen op een foute dag. Zij heeft ooit een jaar antidepressiva geslikt en veranderde in het leukste zusje van de wereld. Toen ze ermee stopte, werd ze weer de vrouw voor wie je altijd een beetje bang bent. Mijn zusje wil niet slikken omdat ze niet tegen zwakte kan. Ze ervaart het nemen van medicatie als een nederlaag en is ervan overtuigd dat je depressies op eigen kracht moet overwinnen. Maar ze heeft wel eens gezegd: 'Goh, dat jaar dat ik slikte, ben ik nooit boos geweest op de kinderen.' Toen heb ik geantwoord: 'Ik ben Seroxat gaan gebruiken toen mijn zoon David achttien was, maar hij vraagt nu nog wel eens waarom ik niet ben gaan slikken toen hij twee was. Dan had hij er langer plezier van kunnen hebben.' Ik heb veel tegen hem getierd. Natuurlijk wilde ik een duizend keer leukere en lievere moeder worden dan mijn eigen moeder. Maar dat onberekenbare... ik ging een uur schreeuwen in de auto als ik de weg niet kon vinden. Zat hij achterin. Daar is hij nog boos over.

Twee maanden geleden was er een oude vriendin op bezoek, die me vertelde dat haar leven zo was opgevrolijkt sinds de Prozac. We kregen het over doseringen, zij slikte twee pillen in plaats van die ene van mij. Toen zei mijn man: 'Misschien moet jij ook iets meer gaan slikken, Kiki, want als je het heel druk hebt, word je heel vervelend.' Ik dacht: mooi makkelijk, kan ik het druk hebben én niet vervelend zijn. Binnen een week had ik enorme seksuele problemen. Ik had geen zin meer om te vrijen en mijn vagina werd kurkdroog. Zo erg dat het pijn deed bij het lopen! Ik dacht: het is de menopauze. Mijn man vroeg hoe lang de overgang duurt. Dat kon variëren van twee tot tien jaar, zeiden mijn vriendinnen. Mijn man zei dat hij het nog geen twee weken volhield. Ik zei: 'We moeten er doorheen.'

Dat het aan die dosering kon liggen, had ik nooit bedacht. Ik geloof niet in bijverschijnselen. Ik vind: als je de bijsluiter leest, heb je de bijverschijnselen direct te pakken, allemaal. Na een week of acht attendeerde een vriendin me erop. Ik ben teruggegaan naar mijn oude dosis. Het was gelijk over.

Ik heb een paar jaar geleden aan mijn dokter gevraagd of ik nou mijn leven lang medicijnen moet slikken. Ik vertelde hem over de verdwenen woede. Dat ik zo genoot van het leven, dat ik niet meer zeikte. Toen zei hij: 'Nou, Kiki, als Seroxat die invloed op je heeft, waarom zou je er dan ooit mee stoppen? Stel dat we over een tijdje ontdekken dat je er tien jaar korter door leeft. Wat kies je dan: nog veertig jaar in een hel leven of nog dertig jaar giebelen?' Toen wist ik het wel. Ik stop er nooit meer mee."

Kiki is een gefingeerde naam.

Ben Jolink

'Een depressie is de hel.'

Bennie Jolink (60) lijkt de stoerste en vrolijkste man van Nederland. Als zanger van Normaal speelt hij al dertig jaar alle zalen plat. Maar er is ook een keerzijde. Tien jaar geleden werd Jolink geveld door een depressie.

"Het gekke was: op het podium leek alles normaal. Het publiek was hetzelfde en ik ook. Daar kon ik iets doen wat ik al jaren deed. Ik had de depressie alleen als ik thuis was. Zo gauw de jongens mij kwamen ophalen met de bus, klaarde ik op. Dan was de wereld bekend en was alles bij het oude.

Als ik thuiskwam, zakte ik helemaal in elkaar. Ging ik aan de keukentafel zitten en zat ik daar de volgende morgen nog. Als mijn vrouw naar beneden kwam, stond ik op en plofte ik in bed. Een heel raar leven. Ik lag in bed, maar kon niet slapen. Op het laatst at ik ook niet meer. Nee, ik vertelde de jongens van de band niet wat er aan de hand was. Met die astma had ik die traditie al in gang gezet. Ik liet ze nooit merken dat ik me niet goed voelde. Nu nog steeds zijn er collega's die zeggen: 'Waar heeft-ie het over?' Die dachten: Kom, dat zal wel meevallen allemaal.

Iedereen denkt altijd van Bennie Jolink dat-ie heel vrolijk is. Maar het zit anders. Ik vind het als calvinist mijn plicht om vrolijkheid te brengen. Maar eigenlijk ben ik een somberaar. Toen ik nog op de kunstacademie zat, was er één jongen die dat wel zag. Die zei altijd: 'Hé Ben, ouwe hypochonder!' Hij had in de gaten dat er meer was dan die vrolijke druktemaker. Ik ben astmapatiënt en dat is karaktervormend. Ik was *pusherig* en druk en liep op mijn tenen om het bij te kunnen houden. Op de lagere school hadden we een schoolreisje naar Amsterdam. In de bus lag zo'n microfoon. Die greep ik en dan zong ik op bestaande melodieën teksten over meester zus en juffrouw zo. Ik was zo'n lolbroek die op feestjes op de tafel sprong en zei: 'Roept u maar!' Bijna niemand durfde dat. Maar bij mij werkte het zo: jullie durven niet? Dan ik wel! Vroeger zeiden ze in de Achterhoek 'Kneip', wat betekent: 'Dat durf je niet'. 'Jolink,' riepen ze dan, 'die sloot hè, daar durf je nooit over heen! Hé Jolink: kneip!' Plons, dan lag ik er al middenin om in ieder geval te bewijzen dat ik het wel durfde.

Als ik geen astma had gehad, had ik veel minder doorzettingsvermogen gehad.

En ik kom uit een milieu van flink zijn. Ik ben van net na de oorlog: mijn vader had in het verzet gezeten en was tegen lafheid en bangigheid. Ik werd het stoere, alles durvende plattelandjongetje. Maar eigenlijk ben ik de grootste softie die er is.

Toen Frank van den Engel een paar jaar geleden de film *Ik kom altied weer terug* over mij en Normaal maakte, wilden we voorkomen dat het een gewone muziekspecial zou worden. Frank vroeg of ik speciaal voor de film een liedje wilde schrijven en of ik iets meer over mezelf wilde vertellen. Toen kwam ik te praten over de depressie.

Daarna kwamen de journalisten. Want: die depressie is een verplicht onderwerp geworden voor elke zichzelf respecterende journalist. Ik heb mezelf wel eens vervloekt dat ik er ooit over begonnen ben. Maar er staat tegenover dat andere bekende en niet-bekende Nederlanders zachtjes in mijn oor fluisterden dat zij ook... ik weet wat je bedoelt.... ik ben er ook geweest.

Ik denk dat een hoop mensen steun hebben aan mijn bekentenis. Ik heb er dus toch goed aan gedaan om erover te praten. Er wordt weinig over gesproken. Met een heel erg voor de hand liggende reden: het is het afschuwelijkste wat je als mens kunt meemaken. Dat geldt in ieder geval voor mij. De depressie was erger dan al die andere dingen. Een bijna-doodervaring, ernstige auto-ongelukken, een heel seizoen niet op kunnen treden vanwege verwondingen, managers die zich eerst je beste vriend noemen en je daarna helemaal kaal stelen. Noem het maar op. Ik heb aardig wat *blues* meegemaakt in mijn leven. Maar daar lach ik om. Daar denk ik met plezier aan terug in vergelijking met de depressie. Daarvan slaat je de schrik echt in de benen.

Mijn vrouw heeft op een dag de huisarts gebeld en gezegd: 'Hij eet niet meer en hij slaapt niet meer.' De huisarts kwam. Toen bleek het een naam te hebben. Ik had iets wat bestond! Die constatering was eerlijk gezegd al zo'n opluchting. Ik had al die maanden niet geweten wat er met me aan de hand was. Mijn gedachten draaiden in rondjes. Het ergste was: ik stond erbij en keek ernaar en kon er niets aan doen. Het maalde maar door. Ik ben gewend om het kleine beetje intelligentie dat ik heb, zo effectief mogelijk te gebruiken. Ik denk in oplossingen. Ik zet richting uit en wil ergens komen met mijn gedachten. Dat lukte niet meer. Het was een mallemolen, ik kon de problemen niet meer scheiden en niet meer beheersen. Het werd één enorm probleem. Natuurlijk is dat onoplosbaar. Ik dacht: misschien deug ík wel niet! Is er aan mij iets helemaal niet goed! Die spiraal draaide alsmaar harder omlaag. Ik kon er niet over praten. Ik was al heel druk en ik was al heel veel weg, de relatie met mijn vrouw was al slecht. Natuurlijk praatte ik niet! Als ik thuis was, lag ik bewusteloos op de bank, waarbij mijn vrouw misschien ook nog wel dacht: heeft hij nou weer gedronken? De relatie was nog een zorg erbij. Het was totaal uitzichtloos.

En o ja, ik had écht problemen. Na 21 jaar lang veel te hard werken, mijn gezin verwaarlozen en een enorme vracht schuldgevoel daarover, dreigde ik met schulden te eindigen in plaats van ook maar een cent op de bank. Over de manager van de band zei iedereen: 'Hou hem in de gaten, want dat gaat niet goed.' Ach, ik kon het me haast niet voorstellen. Het is zoiets als dat je vrouw vreemdgaat en jij bent de laatste die het in de gaten heeft.

En mijn gezondheid was belabberd. Ik sleepte me voort. Werd elke ochtend ziek wakker. Pas om een uur of drie brak het zonnetje weer een beetje door. Dan had ik voldoende pufjes, poeiertjes en pilletjes ingenomen tegen de astma.

Ik werd dus depressief met goede redenen. Maar dat doet er in feite niet toe. Aanleiding of niet: de depressie is hetzelfde. Het is de hel. En op een gegeven moment is de dood de enige manier om uit die hel te komen. Ik vond er niks meer aan, aan het leven.

In het begin schaamde ik me heel erg. Overspannenheid vond ik iets voor watjes. En het is maar hoe je het paardje noemt: 'heel erg overspannen', 'depressief' of 'burn-out'. Ik vond het allemaal gezeik. Over een ander zei ik: 'Die lamlul werkt gewoon niet hard genoeg!' En ik was natuurlijk de grote macho. Weliswaar met zachte kanten – ik schreef ook wel eens een gevoelig liedje – maar mijn imago was er een van een echte kerel.

Het is een imago dat ik zelf heb neergezet. Normaal is ruig begonnen. Met een rel in de Toppop-studio toen *Oerend hard* een hit werd. We zouden hooligans zijn die van alles vernielden. We hebben niks tegengesproken. We dachten: zó, er wordt in ieder geval over ons gesproken en ze kunnen beter over je fiets lullen dan over je lul fietsen. Daarna kwamen we in een hitparade, je maakt platen waarvan telkens een op de tien een wat melodieus nummer is en twee op de tien meezingers. Bier en meestampers. Mag jij raden wat een single wordt. Precies: die meezingers met onderbroekenhumor. Dat worden hits. Kom je op televisie. Hoef je niks anders te doen dan te playbacken. Dus wat gebeurt er: je wordt dronken, kom je dronken op tv. En zo heb ik jarenlang meegewerkt aan een imago dat ik nu spuugzat ben. Ik vind het verschrikkelijk om nageroepen te worden over straat. Mensen denken dat ik dat leuk vind, de lompe idioterie.

De huisarts kwam binnen en zei: 'Zo, hoestermee?' Ik zat aan de keukentafel. Daar zat ik al wekenlang voor me uit te kijken. Met mijn armen over elkaar te staren. Mijn vrouw werd er helemaal angstig van. Urenlang bewegingloos, zonder met mijn ogen te knipperen. Ik was een zombie. Ik at niks. Ik vermagerde. De huisarts zei: 'Je hersens zijn een chemische fabriek en die is in de war, er weigert iets. We gaan met pillen chemicaliën toevoegen die jouw hersenen vergeten aan te maken.'

Trazolan heette het en het was geen gering pilletje. Je moet het ten minste een jaar nemen. En als je een tweede depressie krijgt, moet je het minimaal twee jaar slikken. En komt het er een derde keer van, dan is het levenslang. Dat kreeg ik bij de eerste pil te horen. Ik schrok ervan, maar erger dan dit kon het niet worden.

Ik kon twee dingen doen: die middelen nemen en proberen er weer bovenop te komen. Die andere keus was zelfmoord en dat is geen keus. Ik had nog genoeg om voor te gaan. Ik heb een zoon en mijn vrouw heeft twee dochters die ik als de mijne beschouw. Voldoende om me hier te houden. Dus ik ging slikken. En wekenlang elke maandagavond van zeven tot acht praten met de huisarts. Ik wilde er alles aan doen om er zo snel mogelijk weer vanaf te zijn.

De pillen deden bij mij op de eerste plaats de wens ontstaan om te voorkomen dat ik ze ooit weer nodig zou hebben. Want een jaar slikken is heel veel en die pillen toppen af. De dalen zijn minder diep, dat is zonder meer een feit, je vat het allemaal veel makkelijker op. Maar: aan de bovenkant wordt het net zo hard afgetopt. En dat was iets wat ik helemaal niet prettig vond. Mijn vreugde en enthousiasme werden ook afgevlakt.

Zelfs een orgasme was minder. De seks stortte niet in, maar was minder heftig, minder leuk, minder emotioneel. En als ik ergens een grote hekel aan heb, is het aan gemiddeldheid. Ik ben een man van uitersten.

Toen ik in de put zat, wilde ik eigenlijk stoppen met Normaal. Ik wou niks meer. Maar eenmaal aan die pillen, kwam ik langzaam weer op gang. Ik voelde de spiraal omhoog gaan, ik ontsnapte uit het piekerrondje.

Dat met de seks bleef ongelooflijk vervelend, maar ik schreef weer teksten en dat is mijn thermometer, daaraan lees ik af hoe het met me gaat. Ik geloof niet dat de pillen me erdoor hebben gesleept. Het was het besef en de erkenning dat ik iets hád, dat was de eerste stap naar de genezing. Dat was voor mij het keerpunt. De vraag is alleen: als dat keerpunt er niet was geweest, had ik die pillen niet genomen. Dus wat is er eerder: de kip of het ei?

Het is inmiddels bijna tien jaar geleden, maar tot afgelopen jaar heb ik qua teksten nog steeds uit die periode van depressie geput. Mineurteksten met mineurakkoorden. Blijkbaar moest het op een of andere manier toch verwerkt worden.

De laatste tijd gaat het beter dan ooit met me. Het lijkt wel of ik eindelijk leer hoe het allemaal moet en in elkaar zit. De komst van de kleinkinderen is de grootste zegen die ik me maar kon wensen. Die kleintjes relativeren alles. Je houdt zo'n kind in je armen en denkt: 'Dat gefuck over carrière, da's helemaal niet belangrijk. Dít is belangrijk!'

Het management is goed en de cijfers laten het ook zien: ik verdien tien keer zoveel als voorheen. Daarnaast ben ik consequent gaan sporten, vier keer per week cardiotraining. Ik heb afscheid genomen van de longarts, ik ben astma-vrij. Daar ben ik zestig voor geworden. Ik ben nog nooit zo gezond geweest.

Dat ik het nog een keer zal krijgen, is eigenlijk wel een nachtmerrie. Ik zeg altijd dat ik nergens bang voor ben. Maar als ik ergens bang voor zou zijn, dan is het voor een tweede depressie. Ik let op de signalen.

Vorige week ben ik een weekend met mijn vrouw naar België geweest. Dan zeggen we tegen elkaar: moeten we vaker doen! Dus hebben we gisteravond de agenda's naast elkaar gelegd en hebben we zitten plannen om elkaar vaker te zien, vaker een *break* te nemen. Nog zoiets: het is inmiddels een traditie om met kerst en Oud en Nieuw met de kinderen en kleinkinderen naar een warm land te gaan. Vorig jaar was dat Mexico, nu gaan we naar Thailand. Dat zijn dingen, die drie kleinkinderen... misschien werken die wel beter dan een antidepressivum."

Hanneke

'Ik heb de pillen in het medicijnkastje opgeborgen en ben gaan hardlopen.'

Hanneke (44) vond dat ze antidepressiva nodig had, maar moest hemel en aarde bewegen om een recept te krijgen van haar huisarts. Toen de pillen eenmaal in huis waren, begon de grote twijfel.

"Ik hou van de lente, de zomer, ben dol op de herfst. Vooral die stormachtige dagen in oktober als het heel hard waait en alles door de lucht vliegt. Daar geniet ik van. Maar daarna daalt de grauwsluier neer. Ook in mijn hoofd. De eindeloze regen, die grijze dagen, de eentonigheid. Ik word er verschrikkelijk verdrietig van. Ik heb van nature niet zo'n zonnig karakter en vanaf december verlies ik de helderheid. Het is alsof ik drie seizoenen per jaar 'open' ben, en één seizoen 'gesloten'. Het is stilstand.

Natuurlijk ga ik in verzet tegen die ondraaglijke lichtheid van het bestaan. Ik lees vrolijke boeken, ga veel naar buiten, probeer mezelf op te peppen. Maar het lukt niet. In de winter erger ik me aan alles en iedereen. Aan slenterende mensen in de stad, aan de kwaliteit van de televisieprogramma's, aan wat de buurvrouw zegt. Ik trek me dan zoveel aan; in de zomer als de zon schijnt, heb ik een makkelijker bestaan.

Ik heb het al mijn hele leven. En ik heb eerder fases meegemaakt dat ik dacht: Wie ben ik? Wat stel ik voor en wie zit er eigenlijk op mij te wachten? Maar ik ben een doorzetter. Ik trok mezelf er keer op keer doorheen of negeerde de signalen. Toen de kinderen klein waren, was er trouwens ook geen tijd voor somberheid. Nu ze groter zijn, is er meer ruimte voor mezelf. Ik word ouder en dat maakt me niet vrolijk. Ik ben doodsbang grauw en oud en saai te worden. Dat vooruitzicht kan me aanvliegen. Als ik op zondagochtend de kerkklokken hoor luiden, word ik al somber. Die saaiheid. Dat met z'n allen in de rij naar het godshuis.

Dit najaar verdronk ik bijna in de sombere gedachten. Ik dacht: ik red het niet deze winter. Ik wilde antidepressiva. Ik had erover gelezen en ben naar de huisarts gegaan. Heel assertief. Ik dacht: ik geef altijd maar aan anderen, nu ga ik voor mezelf opkomen!

De huisarts, er zat een vervanger, zo'n jonge jongen. Hij wilde in eerste instantie geen recept uitschrijven. Ik heb een enorm pleidooi moeten houden om mijn zin te krijgen. Hij van zijn kant vuurde tientallen vragen op me af. Ik dacht steeds: ik móet het krijgen, het is míjn leven en ik heb er recht op. Uiteindelijk kreeg ik een recept voor Seroxat. Ik was enorm opgelucht. Dat het een recept voor een maand was, vond ik wel flauw.

Thuis bestudeerde ik minutieus de bijsluiter en schrok ik me dood. Vooral de zinsneden over suïcide, kans op verslaving en kans op toename van lichaamsgewicht maakten indruk. Ik ben op internet gaan speuren en hoe meer ik te weten kwam, hoe meer ik ging twijfelen. Ik dacht: wat ben ik in godsnaam aan het doen? Ik zak af, ik sta op het punt iets te gaan slikken waardoor ik mezelf niet meer ben.

In die tijd was ik juist het boek *Uw brein als medicijn* van Servan-Schreiber aan het lezen. Die man, een Franse psychiater, beweert dat je je brein kunt sturen en jezelf kunt genezen. Hij zegt dat mensen zich een manier van positief denken kunnen aanleren waardoor ze helemaal geen antidepressiva nodig hebben. Dat vergt veel studie en alertheid, maar het kan. Ik heb de Seroxat in het medicijnkastje opgeborgen en ben begonnen met hardlopen. Daar knapte ik enorm van op. Ik wandelde altijd al veel, maar nu besef ik dat je als mens meer bent dan alleen een hoofd. Ik heb de neiging om het lichaam ondergeschikt te maken aan de geestelijke wereld, maar je lijf echt voelen en gezond houden is heel erg belangrijk.

Daarnaast ben ik in therapie gegaan. Haar aanpak is praktisch, recht-voor-z'n-raap en gericht op het zelfbeeld. De therapeut is zo iemand die zegt: 'Als het shit is, is het shit en jammer dan. Blijf er niet in hangen, maar accepteer dat er dingen in je leven minder leuk zijn dan je altijd dacht.'

Ik ben erachter gekomen dat ik meer compassie met mezelf moet hebben. Compassie is tegen het kind in jezelf zeggen: 'Ach lieverd toch!', in plaats van dat kind – we hebben allemaal onze traumaatjes – weg te duwen en heel stoer te doen alsof er niets aan de hand is. Dat deed ik dus altijd. Ik vocht me steeds overal doorheen, zette me af als een puber. Ik deed zo mijn bést! De therapeut gaf me de opdracht los te laten. Ik had in een bepaalde periode drie borrels van het werk. Ik kreeg de opdracht op die samenkomsten met een glas wijn tegen de muur te leunen en verder niets te doen, vooral niet mijn best. Dat was de opdracht en het was moeilijk, want ik denk altijd en overal dat het mijn verantwoordelijkheid is om het leuk te maken. Maar het lukte. Er kwamen mensen naar mij toe, het was gezellig. En het was een verademing om de dingen te laten komen zoals ze komen. De therapeut heeft me geleerd me minder op te winden. 'Verklaar het maar failliet,' zei ze over minder vrolijke dingen uit mijn jeugd of mijn verlangen leuk gevonden te worden. Blijkbaar heb je het soms nodig om van een ander te horen dat je niet perfect hoeft te zijn en dat het er niet toe doet wat anderen van je denken. Dat helpt heel goed tegen sombere gedachten.

Het is nu nog steeds winter en buiten is het nog steeds saai en grijs. Mijn somberheid is niet verdwenen. Wel kan ik het beter dragen en maakt het me minder paniekerig. Wel vind ik dat ik er heel hard voor moet werken. Het was denk ik makkelijker geweest om te beginnen met de pillen. Maar de Seroxat ligt onaangeroerd in het medicijnkastje en ligt daar prima. Ik heb mezelf geen verbod opgelegd. Als ik wil, mag ik ze gaan slikken.

Wat ik wel heel raar vind, is dat de huisarts nooit meer is teruggekomen op het recept. Ik was er onlangs voor iets anders. Hij moet de Seroxat hebben zien staan knipperen op zijn scherm, maar hij vroeg me niets. Zo, dacht ik, je bent als patiënt dus in feite vogelvrij."

Hanneke is een gefingeerde naam.

Jeroen Geurts 

'Je kunt het brein trainen, het is het intelligentste orgaan dat we hebben.'

Jeroen Geurts (29) werkt als neurobioloog aan de frontlinie van de wetenschap. Aan het Medisch Centrum van de Vrije Universiteit doet hij onderzoek naar ziekten van de hersenen. Hij is een breinkenner.

"Als je de schedel van iemand met een depressie oplicht, zie je niets bijzonders. Het laat geen sporen na in het hersenweefsel. Bij depressie gaat het mis in de communicatie tussen de cellen in de hersenen. Ons gehele brein bestaat uit zenuwcellen die met elkaar verbonden zijn. Elke zenuwcel heeft een uitloper en daarmee maakt hij contact met een andere zenuwcel. Die signaaloverdracht verloopt complex: een elektrisch signaal gaat over in een chemisch signaal en wordt daarna weer elektrisch. Daar zit 'm de crux in het depressieve brein. Er is een tekort aan bepaalde neurotransmitters; de chemische boodschappers die het proces goed moeten laten verlopen. Depressieve patiënten hebben te weinig serotonine en noradrenaline.

De laatste vijftien, twintig jaar is de populariteit van de biologische psychiatrie sterk gestegen. Pas de laatste decennia heeft men het over neurotransmitters en netwerken in relatie tot psychiatrische aandoeningen. Voor die tijd moest je in analyse of kreeg je elektroshocktherapie (ECT). Overigens wordt ECT vandaag de dag nog steeds toegepast. Er wordt dan kunstmatig een epileptische aanval opgewekt. Door een grote hoeveelheid elektriciteit aan het brein te geven, *reset* je de netwerken als het ware. Meer dan vijftig procent van de patiënten knapt er direct een tijdje van op. Dit in tegenstelling tot antidepressiva, die een langere inwerkperiode nodig hebben.

Het duurt even – twee tot zes weken – voordat antidepressiva werken. De receptoren in het brein zijn in eerste instantie niet berekend op de toegenomen hoeveelheid neurotransmitter die door de antidepressiva beschikbaar komt. Er moet een nieuwe, gezonde balans tussen neurotransmitter en receptoren worden gevonden. Dat duurt even en soms kunnen de klachten in het begin zelfs even erger worden.

Dat SSRI's werken bij depressie staat buiten kijf, ondanks het feit dat de biologische ondergrond van de aandoening zelf nog niet helemaal begrepen wordt. Van het geheugen of het visuele systeem weten we iets af, van motoriek eveneens. We weten wat we kunnen méten. Maar het betrouwbaar meten van stemming is veel lastiger. Wij mensen beginnen nu pas een beetje te begrijpen hoe hogere functies als geheugen, aandacht, bewustzijn, emotionaliteit en de stoornissen daarvan werken.

Mijn vader zei altijd: 'Hoe meer je weet, hoe minder je weet.' Die paradox is inderdaad interessant, maar relatief. Ik snap wel dat mensen zeggen: 'Hoe kán het dat er nog geen oplossing voor depressie is, het lijkt wel alsof de wetenschap stilstaat!' Toch heeft onze kennis een waanzinnige spurt genomen. We hebben de afgelopen dertig jaar ontzaglijk veel geleerd. Kijk alleen maar naar de MRI-scan. We kunnen ín het brein kijken, terwijl mensen nog gewoon in leven zijn. Enkele decennia geleden moesten we wachten tot iemand overleden was voor we de hersenen eruit konden halen om de diagnose te stellen of onderzoek te doen. En dan maar hopen dat we er met een paar simpele zilverkleuringen iets van begrepen.

Er is nu een nieuwe MRI-techniek waarmee je banen in de hersenen kunt afbeelden. Misschien biedt dat een toekomst voor depressieonderzoek. Je kunt met die techniek vezelbundels zien lopen: het toont verbindingen in de hersenen. Maar bedenk wel: het is een immens systeem. Het brein weegt weliswaar slechts anderhalve kilo, maar bestaat uit honderd miljard cellen plus alle verbindingen daartussen. Post mortem is dit onderzoek bijna niet te doen. Dan heb je je vaak te beperken tot een paar plakjes uit de hersenen, waarin je met enig geluk misschien wel een vezelbaan ziet lopen, maar niet weet waar deze naartoe gaat.

Onderzoek waar veel van verwacht wordt als het over depressie gaat, is de stress-as. Dat wordt zo genoemd omdat hypothalamus, hypofyse en bijnieren chemisch met elkaar in verbinding staan. Onder in het brein zit de hypothalamus. Daar onderaan hangt een heel klein kwabje: de hypofyse. Die produceert hormonen. Bijvoorbeeld groeihormoon en hormonen die betrokken zijn bij het stress-systeem.

De hypothalamus maakt stoffen die de hypofyse aanzet om stoffen te maken en die zetten de bijnieren weer aan tot de productie van chemische stoffen. De bijnieren maken cortisol en dat is hét stresshormoon. Onderzoekers hebben ontdekt dat mensen met een depressie verhoogde cortisol-waarden hebben. Men denkt dat depressie ontstaat als de stress-as overgestimuleerd is. Maar het kan ook zo zijn dat omdát je depressief bent je een verhoogd cortisol-niveau hebt, want depressie op zich is stressvol.

Hoopvol is dat het brein altijd in beweging is. Het probeert zijn eigen beschadigingen te boven te komen. Als er iets stuk gaat in een bepaald gebied, nemen andere delen van de hersenen die taak over. Het brein compenseert. Verbindingen kunnen ook sterker worden of juist verslappen. Die flexibiliteit gebruik je en help je een handje door mensen antidepressiva te geven. Ze worden daardoor minder angstig en hebben minder last van depressieve gedachten. Datzelfde kun je vaak bereiken met therapie. Bij een depressieve patiënt die in therapie is, veranderen de netwerken in het brein ook. De hersenen worden door het praten geherstructureerd. Therapie geeft een extra zetje, je duwt de hersenen een bepaalde kant op. Iemand met pleinvrees bijvoorbeeld durft de straat amper op. Dat is een pathologische, buitenproportionele angst. Je kunt geneesmiddelen tegen angst voorschrijven, maar je kunt ook proberen tegengas te bieden door de patiënt te confronteren met de angst door middel van *exposure*-therapie. Het is daarbij de bedoeling dat de patiënt wordt geconfronteerd met hevige angst, maar ervaart dat de angst eindig is, dat deze in een zogenaamde plateau-fase terechtkomt. Zo kunnen hijzelf én zijn brein leren dat de angst niet nodig is. Die mogelijkheid tot training van de hersenen is fascinerend. Het brein is het intelligentste orgaan dat we hebben."

Marieken

'In mijn leven is geen ruimte voor depressie, het is kinderen/werken/slapen.'

Heeft ze de somberheid geërfd van haar moeder of zijn het de omstandigheden die haar depressief maken? Dat is de grote vraag van Marieken (38).

"Toen ik mijn eerste depressie kreeg, was ik net bevallen van mijn eerste kind. Ineens zat ik met een rotklap thuis. Ik wist eigenlijk helemaal niet wat je met zo'n baby moest. Ik had een kind dat heel veel van me vroeg. Ik zou na drie maanden een solo-theaterprogramma gaan maken. De affiches waren gedrukt, de zalen geboekt. Alleen het programma was nog niet af. Ik dacht: ach, ik baar een kind, ik geef het aan de vader en ik werk door. Ik ben een geëmancipeerde vrouw! Maar ik ontpopte me tot een leeuwin-moeder. Ik wilde het kind aan de borst en biologische hapjes klaarmaken. Ik wilde niet in de file naar Groningen en daar gaan optreden. Ik wilde een natuurlijk moederschap hebben. De carrière was linksaf, maar mijn gevoel en behoefte gilden om rechtsaf te slaan. Na drie maanden worstelen en knokken heb ik gekozen om rechtsaf te gaan. Ik heb de manager afgekocht met een bedrag van zevenduizend gulden.

Mijn grote vraag is in hoeverre mijn depressies een erfelijke kwestie zijn. Ik herken in mezelf de aanleg, dat komt van de kant van mijn moeder. Van kinds af aan zat het er in. Ik was een ernstig, maar levenslustig en nieuwsgierig kind. Ik was al jong 'wakker' en dan stelde ik mezelf vragen als: Wat doe ik hier? Waar gaat het leven over? Er werd bij ons thuis al op mijn tiende veel gepraat over leven en dood. Ik voelde dat het leven groter, dieper en wijzer was dan het alledaagse wat je waarneemt en waar de meeste klasgenootjes in zaten.

Ik ben opgegroeid in een instabiel en gevoelig gezin. Mijn vader ging er vanwege het slechte huwelijk met mijn moeder regelmatig vandoor. Mijn moeder was dan ontregeld en misschien al depressief. Mijn zus, anderhalf jaar ouder dan ik, en mijn moeder diagnosticeren zichzelf als HSP, *Highly Sensitive Person.* Ik was in die tijd de enige in ons gezin die blij en levenslustig was en naar buiten trad. Ik had ook de rol van hulpverlener. Mijn ouders waren echte jaren-zeventig-mensen. Het was een praatgezin, we gingen met z'n allen in therapie, deden communetraining. Alles lag op tafel. Mijn zus, mijn moeder en ik hielden gezinsvergadering over of mijn vader wel of niet terug moest komen als hij ervandoor was. Mijn moeder was ongelukkig, bang en onzeker. Ik moest bij haar in bed slapen om haar te troosten. Ik ben in mijn jeugd vaak de moeder van mijn moeder geweest.

Ik weet niet meer precies wanneer mijn moeder aan de antidepressiva is gegaan. Na haar veertigste, geloof ik. Dat is dus al heel lang en het is levenslang. Mijn zus is antidepressiva gaan gebruiken nadat ze op haar twintigste overspannen terugkwam uit Amsterdam. De stad was te groot voor haar en ze kon het ambitieniveau van de dansopleiding niet aan. Mijn moeder heeft dat ook. Die heeft ooit een halve kunstacademie gedaan. Ze kon het als jong meisje niet dragen terwijl ze een heel getalenteerd iemand is. Het heeft te maken met je niet goed kunnen afsluiten, je te makkelijk laten triggeren. Mijn moeder en mijn zus moeten zich zichzelf heel goed begrenzen om overeind te blijven.

Ik wilde vooral niet worden als mijn zus. Ik wilde niet óók falen. Ik dacht: ik ga het wél redden. Ik heb de theateropleiding dus wel afgemaakt. Ik wilde met de wereld om leren gaan en mijn talent uitdrukken in kunst en theater. Ik denk dat ik kamp met dezelfde problematiek als mijn zus, maar dat ik er doorheen wil. Ik weet niet wat wijsheid is. Misschien is wat mijn zus doet – klein leven – slimmer. Maar ik ben een onderzoeker, ik wil leven en ontmoeten. Misschien maak ik een veel grotere omweg. Zeg ik op mijn zestigste ook wel: 'Hè hè, ik ben thuis!' en ben ik tevreden met mijn kleine kring. Maar de omweg is me de reis waard.

Ik word gestuurd door de seizoenen. Ik ken het verschijnsel dat ik na weken van extraversie de behoefte voel om me af te sluiten en naar binnen te gaan. Ik treed naar buiten in de zomer en naar binnen in de winter. Dat heeft mijn leven zo gegolden. Mei is mijn topmaand, ik knal de zomer door. Daarna voel ik dat ik bijna buiten mezelf treed, de blaadjes worden geel en dan is het tijd voor rust. Die bewegingen kan ik ook in een week of op een dag hebben. In- en uitademen noemen de antroposofen dat. Ik vergat wel eens uit te ademen.

De eerste arts die me wees op het bestaan van antidepressiva, was de dokter van mijn moeder en mijn zus. Het was twee jaar na mijn scheiding. De oudste was vijf jaar, de tweeling drie. We waren net met z'n vieren naar dit huis verhuisd en ik was fysiek geveld. Het was een verhuizing van een groot huis – met troep van kelder tot zolder – naar een klein huis. Ik heb al die spullen blaadje voor blaadje en dingetje voor dingetje uitgesorteerd en overgebracht naar de nieuwe woning. Naast mijn baan en de kinderen. Ik ging er burn-out van. Ik was depressief en zat ingestort bij mijn moeder. Vandaar dat ik bij haar huisarts terechtkwam. Hij opperde dat antidepressiva misschien wel wat zouden zijn. Ik dacht: maar dan ben ik de derde uit één gezin!

Ik wilde het niet. Ik ben nog een paar maanden doorgesukkeld, in therapie gegaan, maar na het zevende of achtste gesprek voelde ik dat ik het niet meer kon. Ik zat alleen maar te zuchten en kreeg niets meer voor elkaar. Let wel: ik ben niet iemand die alsmaar gelukkig wil zijn. Ik neem het leven ook met zijn mindere dagen. Ik hoef niet boven nul te zitten. Ik wil óp nul zitten.

De tweede depressie openbaarde zich in het zwembad. Ik kom vaker met de kinderen in het zwembad, maar deze keer zag ik enkel de lelijkheid, de domheid van al die mensen. Een nepwereld met kunstmatige golfslag. Het deed me denken aan de filosofie van Barry Long. Dat is een goeroe die ik een tijdje heb gevolgd. Hij maakt het onderscheid tussen 'de aarde' en 'de wereld'. De aarde is het natuurlijke, het spirituele en het harmonieuze. De wereld is wat wij mensen over de aarde hebben heen gelegd: de illusies, het consumeren, het hebben van kicks. In het zwembad zag ik heel duidelijk de lelijkheid van 'de wereld' en snakte ik naar 'de aarde'. Ik zag de clowns, het spuitende water, de reclames. Ik hoorde de vrolijke muziek, de toeters en de bellen. Met mijn depressieve blik zag ik: patatlijven, vals plezier en lege niksheid.

Toen zakte ik er doorheen en wist ik dat ik antidepressiva zou moeten slikken. Er zat zo'n zwaarte in mijn buik, ik moest steeds maar zuchten om te kunnen ademen. Seconde na seconde na seconde. Dag na dag na dag.

Mijn aanvankelijke verzet tegen de medicatie kwam ook voort uit een workshop die ik ooit volgde bij een acteur die ik zeer bewonder. Deze man is ontzettend depressief geweest. Hij had in die periode kinderen en was alleenstaand ouder. Zijn mening over antidepressiva was dat het de flauwekul van deze tijd is. Hij vond dat depressies bij het leven horen. Hij zei: 'Blijf er rustig in zitten, ga er doorheen en dan kom je er vanzelf weer uit.' Ik onderschrijf zijn woorden. Maar ik kon het niet!

In mijn leven zit geen *escape*, er is geen tijd over. Het is: kinderen, werken, slapen, kinderen, werken, slapen. Er is geen ruimte voor een depressie. Ik kan hier drie dagen op een stoel blijven zitten en de was laten liggen en de rekeningen niet betalen, maar langer kan niet.

Kon ik de depressie *facen*, kon ik eindeloos de zweethut in, dan had ik de pillen misschien niet nodig. Of als ik kon wandelen. Ik vind het heerlijk om te wandelen. Maar het kan nooit. Ik loop nog geen vijfhonderd meter met mijn drie kinderen. De uitlaatklep, de tijd om het op te lossen, die heb ik niet. Ik vind het verschrikkelijk dat ik de ziekte met chemische middelen moet bestrijden. Eigenlijk vind ik dat een zwaktebod. Maar ik doe het voor hen. Mijn kinderen zijn mijn eerste verantwoording. Ik wil ze niet de jeugd geven die ik zelf heb gehad met een instabiele moeder. Ik wil er voor hen zijn en de rollen mogen nooit worden omgedraaid.

Als ik depressief ben, heb ik het gevoel dat ik uit elkaar val. Het wordt weer normaal door de antidepressiva. De pillen maken me soepeler in mijn hoofd. Ik word weer een kloppend, communicerend geheel. Ik kan weer plannen en prioriteiten stellen. De dilemma's en de paniek zijn voorbij, ik kan mijn ratio weer gebruiken.

Na een jaar slikken ging het veel beter met me. De kinderen waren een jaar ouder. Ik kon evenwichtig in- en uitademen. Ik heb de dosis antidepressiva eerst gehalveerd en ben er daarna helemaal mee gestopt. Ik ben visolie gaan slikken omdat die goede omega-3-vetzuren bevat, die helpen tegen depressie en ik heb een lichtlamp aangeschaft voor in de winter. Dat hielp allemaal. En toch kreeg ik weer een terugval. Mijn derde depressie volgde.

Ik heb ergens gelezen dat je na drie depressies een chronische patiënt bent. Misschien is dat wel zo. Zeker is in ieder geval dat de verhouding belasting en draagkracht in mijn leven uit balans is en dat dat over twee jaar niet echt anders zal zijn. Misschien moet ik de pillen voorlopig gewoon blijven slikken. Misschien kan ik stoppen over vijf of tien jaar. Dan is er meer ruimte voor mezelf, heb ik meer adem-momenten. Misschien is er dan meer tijd om een dipje uit te zitten.

Ik kies er nu voor om zoveel mogelijk te leven volgens de filosofie van Barry Long. Als ik meer in contact kom met 'de aarde', heb ik de antidepressiva op een dag misschien niet meer nodig. Ik streef naar een natuurlijke manier van leven waarin ruimte is voor gevoel, stilte en de natuur. Dat zorgt ervoor dat ik contact maak met mezelf."

Marieken is een gefingeerde naam.

Bram Bakker 

'Je lichamelijke conditie blijft de achilleshiel. Gemiddeld fit zijn is een dringende aanrader.'

Psychiater Bram Bakker (43) vindt dat hulpverleners te snel antidepressiva verstrekken. Pillen verworden zo tot gemaksmiddelen. Zijn advies: ga hardlopen.

"Iedereen die je dagelijks op een fiets zet, gaat heel snel beter fietsen. Voor stemming geldt hetzelfde: je kunt je over een sombere stemming heen oefenen. Mijn vriend de schrijver Rogi Wieg kon in periodes van diepe depressie hoegenaamd niets. Ik sleepte hem naar zijn fiets. Zette hem erop, duwde hem aan. Ten slotte werkte het. Hij fietst nog steeds, voelt zich veel beter.

Loop de eerste de beste psychiatrische afdeling binnen en kijk hoe die mensen daar zitten. Vind je het gek dat ze depressief zijn? Trommel ze op, stort ze in een zwembad, dan moeten ze wel bewegen!

Depressie maakt inactief. En omdat je inactief bent, word je depressief. Het een versterkt het ander. Voor je het weet, zit je in een neerwaartse spiraal. Depressie bestrijden betekent dus op de eerste plaats: niet toegeven aan die inactiviteit! De overtuiging 'Ik kan niets' betekent niet dat je lichaam niets meer kan.

Als je depressief bent, geeft het hoofd door: verwaarloos je lichaam. Terwijl je lichaam juist de beste *tool* is om de depressie te bestrijden. Lees het boek *Uw brein als medicijn* van de Franse psychiater Servan-Schreiber maar. Een van de leukste dingen in dat boek vind ik het verhaal over de hartcoherentie. Als je je hartslag letterlijk de toon laat zetten, wordt het in je hoofd heel rustig en ontspannen. Je raakt in een soort *flow*, een toestand waarin je je heel prettig voelt. En: je kunt jezelf daarin trainen.

Als je de uitslagen leest van een onderzoek onder duizend mensen die bewegen en duizend die niet-bewegen, dan ga je *smilen*. Het is onvoorstelbaar hoeveel minder psychologische ellende bewegende mensen hebben! Er valt echt een wereld te winnen.

Antidepressiva zijn niet slecht. Ik beschouw ze echter als een onderdeel van een integraal pakket. Pillen kunnen je een zetje vooruit geven. Maar wie alleen pillen slikt, komt nooit uit zijn depressie. Wie op zijn luie reet blijft zitten, schuift de verantwoordelijkheid af op kosten van de verzekering. Het is net zoiets als veertig kilo te veel wegen en bij de huisarts vragen om een middeltje tegen hoge bloeddruk.

Mijn stelling is: iedere vooruitgang die je zelf verdiend hebt, beklijft. Dat maakt je een gelukkiger en meer tevreden mens. Daarom geloof ik zo in hardlopen en fietsen naast praten en eventueel medicatie. Als ik verzekeraar was, wist ik het wel. Ik zou er grootse campagnes op gaan voeren: wie beweegt krijgt premiereductie, korting op hardloopschoenen en op een racefiets.

Aan je gezondheid moet je werken en dat kost tijd. Het is een illusie om te geloven in een *quick fix*. De trend in de maatschappij is dat alles steeds sneller, simpeler en makkelijker wordt. Maar dat is niet zo. De wereld wordt steeds complexer.

Sommige mensen zijn niet door hun depressie heen te praten. Deze groep moet structureel en chronisch antidepressiva gebruiken. Dat zijn er in Nederland waarschijnlijk niet meer dan zo'n 100.000. Mijn advies aan de rest is: ontwikkel jezelf. Als je nog geen pillen slikt, kijk dan eerst eens naar de alternatieven. De achilleshiel blijft je lichamelijke conditie. Gemiddeld fit zijn is een dringende aanrader. Mensen met psychische klachten zijn bijna nooit gemiddeld fit, maar een stuk minder.

Als je wel al antidepressiva slikt, denk dan eens na over wat je zelf méér doet dan elke dag die pil naar binnen duwen. Leg jezelf de taak op actief te worden. Mensen die de schuld buiten zichzelf leggen, komen nooit vooruit. Maar met mensen die orde op zaken brengen in hun leven, gaat het beter. Af en toe zouden we wat vaker moeten terugdenken aan de ijstijd. Toen moest je fit zijn om een dier te kunnen vangen. Nu zijn we te vet om in beweging te komen. Toch even iets om bij stil te staan.

Ik ben meer tijd kwijt met mensen van de antidepressiva af krijgen dan ze er op te zetten. Iedereen krijgt ze voorgeschreven van de huisarts. Zo komen de mensen binnen. In pak 'm beet de helft van de gevallen denk ik: die had nooit een antidepressivum moeten krijgen.

Ik vind dat mensen pas medicatie moeten gaan gebruiken als minder ingrijpende methoden niet lukken. Dat heet een *stepped care*-benadering. Je begint met iets dat minder ingrijpend is. De eerste vraag luidt: 'Wat is er aan de hand?' Als je een slechte relatie hebt, doe daar dan eerst iets aan. Praat verder als dat op orde is. Maar dat doen huisartsen niet. Die denken: ik heb zeven minuten en het voorschrijven van Prozac duurt dertig seconden en dan hou ik nog 6,5 minuut over.

Antidepressiva helpen niet tegen levensproblemen. Pillen zijn slechts een steuntje in de rug. Voor de oplossing moet je zelf zorgen. Het gros van de mensen en het merendeel van de voorschrijvers heeft geen ballen. Als de voorschrijvers nou eerst eens zouden beginnen met weerstand bieden tegen de verleiding direct een recept uit te schrijven. Dat zou al schelen.

En de slikkers... Je kunt het mensen niet kwalijk nemen dat ze een snelle oplossing zoeken. Dat past bij deze tijd. Maar snel is bijna altijd synoniem voor oppervlakkig. Daar schiet je dus geen hark mee op."

Simone

'Het werd een kwartier neuken voor er iets gebeurde.'

Na vijfentwintig jaar huwelijk is Simone (47) sinds een jaar gescheiden. De reden is de depressiviteit van haar ex-man Joost.

"Wij waren een middelbareschoolliefde. Ik was achttien toen we verkering kregen, Joost negentien. We hadden een heerlijk leven samen. Joost is een leuke, open man en er is nooit iets met hem aan de hand geweest totdat we kinderen kregen. Toen veranderde ik blijkbaar als vrouw. Ik kreeg verwachtingen ten aanzien van hem en ik denk dat dat het begin van zijn depressie is geweest. In onze jonge jaren deden we niet zo'n appèl op elkaar; later, met de kinderen, ging ik verlangens koesteren. Ik wilde geen gezin zijn met een traditionele rolverdeling. Misschien vond hij het moeilijker dan hij liet blijken dat ik bleef werken, carrière maakte. Ik verwachtte dat hij ook voor de kinderen zorgde. Eén kind was nog te doen, maar toen er daarna nog twee bijkwamen was het te veel gevraagd. Dat was het moment dat hij zich ging terugtrekken.

Toen de kinderen een, drie en vier waren, zaten we al bij de relatietherapeut. Die stuurde Joost door naar de psychiater. Een depressie. Hij zei dat hij opgesloten zat in een groot zwart gat. Hij was zo down, zo afgesloten. Hij dacht niet aan zelfmoord of zo. Hij was er gewoon niet. De psychiater schreef Zoloft voor en daar knapte hij van op. Ik zag dat mijn gezeik langs hem afgleed. Het raakte hem allemaal niet meer zo. Hij slikte de medicatie en stopte met de gesprekken met de psychiater. Ik heb gezegd: 'Ga terug, ga het aan. Ga op zoek naar het waarom van die depressie.' Hij deed het niet. Ik denk nu: hij wilde de echte problematiek niet onder ogen zien. Toen niet, nu niet, nooit niet.

De antidepressiva hadden grote invloed op ons seksleven. Totdat Joost aan de pillen ging, was onze seks goed. Nu kostte het veel moeite om een erectie te krijgen en te houden. Klaarkomen was lastig, dat duurde veel langer. Het werd een kwartier neuken voor er iets gebeurde, terwijl Joost voor die tijd zo viriel als wat was. Vroeger was het zó gebeurd. Nu lukte het niet meer. Vaak eindigden vrijpartijen zonder orgasme. Vielen we allebei in slaap.

Wij hebben altijd een heel fysieke relatie gehad. Joost wilde vaak en veel vrijen. Ook toen we al jaren bij elkaar waren. Voor mij hoefde dat niet zo, ik hechtte minder aan seks dan hij. Door de antidepressiva werd zijn libido teruggebracht tot 'normale' proporties. Ergens vond ik dat wel een opluchting. Maar áls we vrijden, was het wel een heel gedoe. Ik moest de hele trukendoos uit de kast trekken om hem te plezieren. Speeltjes, standjes. Vroeger was het in twee minuten gepiept. Deden we het achterlangs omdat dat zo sexy was. Nu lag ik te denken: wanneer ben je nou eens klaar? Ik werd het clichébeeld van de zuchtende, niet-willende vrouw.

Wel of niet potent: ik hield nog steeds van hem. Dat bleef. Of hij van mij hield, weet ik niet. Hij zat zo laag dat hij alles wat ik deed en zei stom vond. We zijn nog een paar keer in therapie gegaan. Eigenlijk wilde ik bij elkaar blijven voor de kinderen. Maar hij was zo'n neerdrukkende factor geworden. Ik ben naar de huisarts gegaan en zei: 'Ik heb iets nodig dat me oppept.' Hij schreef me antidepressiva voor. Prozac.

En toen, verrassend raar, overkwam mij hetzelfde als Joost: mijn libido stortte in. Ik kon niet meer klaarkomen. Ik wilde wel, maar het lukte niet. Het laatste zetje kwam niet door. Het lukte niet met Joost, niet met een vibrator en ook niet als ik masturbeerde. Echt een fysieke blokkade. Ik heb die pillen maar een paar maanden geslikt. Ik ben gestopt omdat ik me zonder orgasmen geen vrouw meer voelde. Ik wilde dat én de seks met Joost weer terug. Ons huwelijk was al bijna uitgedoofd, maar in de seks vonden we elkaar nog.

Kort daarop heb ik de scheiding in gang gezet omdat ik het niet meer trok. Ik vond dat ik mezelf moest behoeden voor een ongeïnspireerd leven met hem. Maar de liefde is er nog steeds. Deze man blijft mijn grote liefde."

Simone is een gefingeerde naam.

Frank 

'Er schoten stroomstoten door mijn lichaam, maar de huisarts bleef zeggen: Doorgaan met slikken!'

Frank (52) kreeg begin jaren negentig Prozac voorgeschreven. Hij reageerde totaal verkeerd op het middel. Het vernietigde zijn zenuwstelsel en maakte hem blijvend arbeidsongeschikt. Hij begon een strijd tegen de grote Prozac-leugen.

"Halverwege de jaren negentig ben ik regelmatig door bepaalde media opgevoerd als 'eerste slachtoffer van Prozac'. Ik vond dat in het begin niet erg, maar in feite was ik er toen al op een heel andere manier mee bezig. Ik was een pionier die een bedreiging vormde voor de farmaceutische industrie. Ik werd gevaarlijk gevonden vanwege mijn grote feitenkennis over antidepressiva. Negatíeve feitenkennis, die inmiddels door de komst van internet overal beschreven en toegankelijk is.

Ik ben een Don Quichot genoemd, omdat ik zou strijden tegen windmolens. Maar het waren geen windmolens, ik zag geen spoken, het klopte allemaal. Natuurlijk was iedereen argwanend. In 1994 leefde de Prozac-hype in Nederland. Veel kranten schreven lovende artikelen. Er klonk maar heel sporadisch een kritisch geluid. Producent Eli Lilly had het medicijn razend knap in de markt gezet. Het boek van de Amerikaanse psychiater Peter Kramer, *Listening to Prozac*, werd vertaald. Het was een bestseller in Amerika en in Nederland liep het ook goed. Journalisten kregen zo'n positief beeld van Prozac dat ze dachten dat de *Prozac Survivors Support Group* bestond uit mensen die dankzij Prozac overleefd hadden. En toen kwam ik. En ik zei: 'Dit pilletje is gehypet, het mag voor sommige mensen dan goed zijn, maar het kent heel grote risico's.' Prozac heeft niet minder, maar ándere bijwerkingen dan de 'oude' tricyclische antidepressiva. Het is zeker niet zo dat het middel absoluut veilig is en dat iedereen het zomaar kan slikken. Men dacht dat ik een of andere gek was die onzin verkocht.

Als voorzitter van de Stichting *Prozac Survivors Support Group Nederland* kreeg ik regelmatig vragen over serotonine. Dan vroeg men: 'Meneer, kunt u mij uitleggen hoe dat nou zit met serotonine en antidepressiva?' Dan legde ik uit dat de term *selective serotonin reuptake inhibitor* (SSRI) bedacht is door marketingjongens en dat geen mens in de wereld weet wat serotonine exact doet. Er is nauwelijks bekend wat een 'normale' serotonineconcentratie in de hersenen is, en deze kan al helemaal niet bij individuele patiënten worden gemeten. Hoe Prozac exact werkt, is onbekend. Een arts die tegen een patiënt verkondigt dat er in de hersenen een tekort aan een stofje is, 'maar dat we daar een pilletje voor hebben dat dat perfect op niveau gaat brengen', spreekt onzin. Het serotonine-verhaal is pure pseudowetenschap. Prozac slikken is een grote gok. Niemand weet hoe het werkt en het is afwachten of en hoe de patiënt erop reageert. Sommige mensen reageren er goed op en een hele hoop anderen reageren er slecht op.

Het was 1990, ik was 37 en ik had al een tijdlang heel vervelende klachten: oorsuizen en slecht horen aan mijn rechteroor, ik was chronisch vermoeid en had tegelijkertijd een erg drukke baan als docent Engels. Ik viel regelmatig uit doordat ik op was. Mijn huisarts liet allerlei onderzoek doen en concludeerde dat ik een gemaskeerde depressie had. Het antidepressivum Fevarin was net op de markt en artsen werd verteld dat dat een ideaal middel was voor mensen met lichamelijke klachten waarvoor geen oorzaak was gevonden. Het was een pil die zou helpen bij psychosomatische problematiek. Ik kreeg Fevarin, inclusief het verhaal dat er stofjes in mijn hoofd niet in orde waren. Ik werd er verschrikkelijk doodziek van. Extreem misselijk, darmproblemen, slapeloosheid, geweldig zweten en er vormde zich een strakke magnetische band om mijn hoofd. 'Spanningshoofdpijn' werd daarover gezegd, maar daar had het niets mee van doen. Ik stopte met de Fevarin en ging terug naar de huisarts. Die stuurde me door naar de psychiater. Ik dacht zelf overigens niet dat ik een depressie had. Ik had inmiddels wel zo nu en dan een depressieve bui, maar dat is wat anders. Ik was somber vanwege de fysieke problemen. Ik vertelde de psychiater mijn verhaal en na drie kwartier zei de man dat ik een typisch geval van een gemaskeerde depressie was. 'U moet nogmaals Fevarin gaan slikken. En ik raad u aan deze keer dóór te slikken.' Opnieuw kreeg ik al die afschuwelijke bijwerkingen. Ik probeerde vol te houden, maar na een dag of tien, op de verjaardag van mijn vrouw, was ik er zo slecht aan toe, dat ik in de keuken in elkaar zakte. Ik wist: dit is het einde van Fevarin.

De psychiater vertelde over een nieuw wondermiddel uit Amerika, een antidepressivum met weinig bijwerkingen. Prozac heette het en ik moest het maar proberen. Ik nam Prozac en enkele uren later deden de eerste bijwerkingen zich voor. Het manifesteerde zich in vreemde spierreacties. Kleine, spontane samentrekkingen. Spasmen. In mijn gezicht, rond mijn ogen en mond. En in de armen, bij de biceps. Kleine tics. Na twee of drie dagen kreeg ik plotselinge stroomstoten door mijn lichaam. Inmiddels staan op internet talloze verhalen over dit soort *electric surges*, of *zaps* beschreven. Toen wist ik niet wat me overkwam. Na drie dagen ben ik gestopt met de Prozac. En na een aantal dagen was ik weer redelijk normaal. Er volgden nog een paar gesprekken met die psychiater. In feite ontstond er een soort rivaliteit. Ik behoorde tot de categorie patiënten die niet doet wat de psychiater zegt. Dat werd natuurlijk ook onmiddellijk geduid als een psychiatrische stoornis. Terug naar de huisarts. Hij zei: 'Je gaat nu zes weken Prozac slikken.

Zés weken en als het dan nog niet helpt, stuur ik je door voor neurologisch onderzoek.'

Er deden zich exact dezelfde verschijnselen voor. Ik voelde van de ene op de andere seconde iets opstijgen. Het leek alsof ik met een deegroller plat werd geplet, waardoor mijn 'ik' met een hele hoop gesis in beide oren naar buiten schoot. Daarna zakte mijn ik weer terug in mijn lichaam. Het duurde zo'n twintig seconden. En het bleef zich herhalen. De hele dag door. Ik schrok me telkens wezenloos.

Na drie dagen belde ik de huisarts en zei ik: 'Ik word geteisterd door stroomstoten door mijn hele lichaam, ik heb hartritmestoornissen, mijn "ik" stijgt uit me. Is dit normaal?' Hij antwoordde: 'Doorgaan, het is een superveilig middel en *its' all in the mind.* Het klopt dat het in het begin wat kleine bijwerkingen kan geven, maar: gewoon doorgaan. Als het straks aanslaat, zijn alle problemen verdwenen en voel je je een stuk beter.'

Ik wilde niet eigenwijs lijken, dus ik slikte door. De vierde dag kreeg ik de ene stroomstoot na de andere en op een gegeven moment hoorde ik een aantal knallen in mijn achterhoofd. Daarna stond ik helemaal onder stroom. Er ontstond een stroomcircuit door mijn hele lichaam: via mijn achterhoofd, door de ruggengraat naar beneden. Met vertakkingen naar mijn darmen. Mijn spieren leken een eigen leven te leiden. Het was alsof ik met mijn vingers in een stopcontact vastzat. Het oorspronkelijke oorsuizen in mijn rechteroor was niet meer waarneembaar door het geweldige gesis in mijn hoofd. Ik nam opnieuw contact op met de huisarts. De assistente zei: 'De dokter zegt dat u gewoon moet doorslikken.' De vijfde dag nam ik weer een pil. Toen ging ik razendsnel achteruit, ook geestelijk. Ik raakte mezelf kwijt. Objecten vervormden, ik zag dingen niet meer normaal. Ik was neurologisch flink van de kaart. Ik heb nog een zesde pil genomen. Het was weekend. De huisarts weer gebeld en die is gekomen. Ja, hier leek toch iets raars aan de hand, ik moest er dan maar mee stoppen.

Ik had gigantische angsten en kon niet meer stilzitten. Inmiddels ken ik de terminologie, 'akathisie' wordt dit genoemd. Het is een neurologische aandoening die een chronisch onrustige toestand veroorzaakt. Een verstoring in het zenuwstelsel, veroorzaakt door medicatie. Toen ben ik gestopt met de Prozac.

Nu pas, vijftien jaar later, beseffen veel artsen en patiënten dat dit de zoveelste keer in de geschiedenis is dat een vermeende wonderpil niet waarmaakt wat hij belooft. Het is een bekend patroon: met veel bombarie en enthousiasme wordt een nieuw middel op de markt gebracht en na tien à vijftien jaar blijkt dat er een grote ravage is aangericht. Dat wordt echter pas toegegeven als het echt niet anders kan, of als de patenten zijn verlopen. Want dan moeten er andere wonderpillen op de markt worden gezet die natuurlijk op een andere manier werken. Het is heel simpel: pillen worden vaak slecht als ze plaats moeten maken voor nieuwe pillen.

Overigens wil ik hierbij opmerken dat ik de farmaceutische industrie in het algemeen nog niet eens zo heel veel kwalijk neem. De farmaceutische industrie is een industrie zoals alle andere: op winstbejag georiënteerd, een kapitalistisch verschijnsel. Op zich niets mis mee. Mits daar een sterk controleapparaat tegenover staat.

Wat ik de farmaceuten wél zeer kwalijk neem, is dat ze medicatie aan de man brengen waarvan ze weten dat die voor een kleine groep mensen zeer schadelijk kan zijn en dat ze daarover blijven zwijgen.

Toen ik was gestopt met de Prozac, verkeerde ik in de overtuiging dat ik na een paar dagen beter zou zijn. Het tegendeel bleek waar. Ik bleef de ene na de andere stroomstoot door mijn lichaam voelen. Geen arts wist wat het was. Over het algemeen wist men wel te vertellen dat het niet aan de Prozac kon liggen. Na een paar weken was de huisarts zo radeloos dat hij me liet opnemen op een psychiatrische afdeling. Ik was niet meer te handhaven. Ik was volledig bij zinnen, had geen waanideeën, maar had wel heel veel angst. Wat hadden ze met me gedaan? Was er iets kapot in mijn hersenen? Het voelde alsof ik door die pillen naar de donder was geholpen. Op de psychiatrische afdeling werd mijn verhaal meewarig aangehoord, het liefst hadden ze me weer op de pillen gezet. Dat heb ik geweigerd. Regelmatig werd er een andere diagnose gesteld. Het varieerde van 'hypochondrie' tot 'afnemende paniekstoornis'. Neurologisch onderzoek werd niet gedaan. Dat deden ze nooit bij vermeende hypochondrie. Na drie weken ben ik als een wrak uit eigen beweging opgestapt. De kilo's vlogen er inmiddels vanaf. Kennissen en familie dachten dat ik een dodelijke ziekte had.

Ik besloot zelf te gaan onderzoeken wat er met me was gebeurd. Ik was overtuigd van het verband met Prozac en zei tegen iedereen: 'Vandaag of morgen zullen de kranten bol staan over dit product, want hier is iets danig mee mis.' Het bestaat niet dat ik de enige ben. Ik heb alles en iedereen ingeschakeld en binnen de kortste keren kreeg ik, ook uit het buitenland, de eerste krantenartikelen waarin Prozac in een kwaad daglicht werd gesteld.

Ondertussen was mijn gezondheidstoestand niet best. Ik had een totaal op hol geslagen zenuwstelsel. De onrust en rare spiertrekkingen bleven me teisteren. Werken kon niet meer. De eerste twee jaar was ik zo slecht dat mijn vrouw maar halve dagen kon werken omdat ik nauwelijks alleen kon zijn. Ik was gedesoriënteerd en gedepersonaliseerd. Gruwelijk ellendig. Iedere seconde leek een eeuwigheid te duren. Ik vocht om er niet definitief aan onderdoor te gaan. Er waren nog steeds de stroomstoten, maar wat overheerste was het angstige besef dat er iets met me gebeurd was waarvan niemand kon zeggen wat het was. Ik was kapotgemaakt. Boos was ik niet. Dat kwam pas later. Ik was alleen maar aan het vechten om te overleven, om niet voor een trein te springen om er een einde aan te maken. Dit heeft een paar jaar in deze hevige mate geduurd. Het was een onbeschrijflijk wanhopige periode. Natuurlijk heeft dit alles ook sporen in mijn psyche nagelaten. Als alle artsen die je spreekt je niet of nauwelijks geloven en niets voor je willen doen terwijl je je zo voelt, dan garandeer ik je dat je daar angstig en wanhopig van wordt.

Vanuit Amerika en Engeland stroomde steeds meer materiaal binnen van mensen die processen hadden gevoerd tegen fabrikanten van antidepressiva. Gaandeweg achterhaalde ik steeds meer informatie. Ik hoefde niet meer aan mezelf te twijfelen. Ik was niet de enige. Overal ter wereld bleken mensen allerlei slechte ervaringen met antidepressiva te hebben. Ik kreeg mijn zelfvertrouwen terug: ik hoefde niet bang te zijn dat ik echt gek was. Ondertussen was ik na een grote zoektocht door het medische circuit terechtgekomen bij een Chinese arts die me behandelde met acupunctuur en Chinese kruiden. Heel langzaam, millimeter voor millimeter, kwam er wat verbetering in mijn gezondheidstoestand. Echt goed gezond ben ik niet meer geworden. Zelfs nu nog, vijftien jaar later, ben ik er redelijk ellendig aan toe. Ik sta nog steeds onder een heel lichte stroom vanuit mijn achterhoofd. Er is altijd een djieieieieieieieie-toon in mijn hoofd. De spiertrekkingen zijn sterk verminderd, maar zeker niet verdwenen. Ik ben afgekeurd.

Keuringsartsen zeiden aanvankelijk: 'Het kán niet aan het middel liggen!' want overal verschenen enthousiaste verhalen over Prozac. Sommige mensen dachten dat ik het verzon omdat ik mijn centen wou beuren. Zelfs sommige kennissen geloofden het niet, zwaaiden met positieve artikelen. Ik werd in een heel rare hoek gemanoeuvreerd. Ik ben zelf gaan publiceren. Op een genuanceerde manier maakte ik melding van de schaduwzijde van het middel. Dat mensen terughoudend moesten zijn. Ik schreef: 'Als je het middel nodig hebt, luister dan goed naar de taal van je lichaam.'

Op het eerste kleine stukje in de krant kreeg ik overweldigend veel reacties. Toen wist ik zeker dat ik op het goede spoor zat. Ik kwam op de radio en televisie. Voor ik het wist, was ik de Prozac-praatpaal van Nederland. Later ben ik voorzitter van de *Prozac Survivors Support Group Nederland* geworden. Ik heb honderden mensen gesproken en geholpen en werd van over de hele wereld gebeld. Álle feiten, dus ook de negatieve, met betrekking tot antidepressiva moesten bekend worden, opdat er geen onnodige slachtoffers zouden vallen. Dat was mijn drijfveer.

De woede is begonnen toen ik de waarheid achterhaalde over het eerste Prozac-proces in Amerika. Dat proces werd in eerste instantie weliswaar door Eli Lilly gewonnen, maar niemand vertelde erbij dat de aanklagende partij een gigantisch bedrag kreeg geboden – boeken vermelden mogelijke bedragen van vijfhonderd miljoen dollar – om cruciaal belastend materiaal niet naar voren te brengen. Ik wist niet dat de farmaceutische industrie zo diep kon zinken. Toen ik doorging met schrijven over de negatieve kant van Prozac, stuurde Eli Lilly een brief rond aan alle media waarin stond dat de *Prozac Survivors Support Group Nederland* een pseudoniem was van de Scientology Kerk. Ik dacht dat ik stierf.

Ik ben een kort geding begonnen dat ik tot mijn stomme verbazing verloor. De rechter vond deze bewering niet nodeloos schadelijk en zei dat het vrijheid van meningsuiting betrof. 'Bovendien,' zei de rechter, 'was het begrijpelijk dat Eli Lilly alles in het werk stelde om informatie in de media die onjuist was, uit diezelfde media te houden. Depressie is immers een gevaarlijke, potentieel dodelijk ziekte en mensen kunnen niet zomaar ophouden met hun medicatie.'

Inmiddels is de uitspraak in de eerste Prozac-rechtszaak veranderd in 'geschikt' en is naar buiten gekomen dat Eli Lilly ook veel andere Prozac-rechtszaken in het geheim heeft geschikt. Ook met betrekking tot andere SSRI's, bijvoorbeeld Seroxat, hebben aanklagende partijen rechtszaken gewonnen of schikkingen geaccepteerd. Bovendien waarschuwen nu controlerende instanties zoals de Amerikaanse Food and Drug Administration juist voor die dingen die ik vele jaren geleden naar buiten bracht. Ik vraag me af hoe de rechter in mijn 'Scientology-zaak' zich nu moet voelen.

De Stichting *Prozac Survivors Support Group Nederland* wil ik nu zo snel mogelijk opheffen. Ik heb mezelf overbodig gemaakt. Stichting Pandora helpt mensen in nood uitstekend, zij hebben veel informatie in huis. Zowel op internet als in een reeks van boeken wordt volop beschreven wat mij en anderen is overkomen. De medische stand heeft inmiddels toegegeven dat Prozac en aanverwanten te veel worden voorgeschreven voor de verkeerde diagnoses. In veel gevallen zijn antidepressiva niet of nauwelijks effectief en er zijn alternatieven: zelfs *running therapy* is in sommige gevallen even effectief als een pil. Mijn strijd is gestreden. De waarheid is bekend. Ik blijf actief als consumentenactivist psychofarmaca. Ik hoop meer tijd te kunnen gaan besteden aan activiteiten voor *Health Action International* en zeker wil ik ook mijn contacten met bepaalde wetenschappers, auteurs en politici in stand houden. Ook media kunnen blijvend op me rekenen als ze gebruik willen maken van mijn archief. Want dat er opnieuw nieuwe wonderpillen in het nieuws zullen komen, daar kun je gif op innemen."

Lotje 

'Medicijnen? Ammehoela, dat is voor achterlijke mensen!'

De kinderen waren drie en een jaar oud toen de angst op een avond over haar heen daalde. Zomaar, uit het niets. Lotje (36) streed een jaar tegen het monster.

"Mijn hoofd vol angst was losgekoppeld van mijn lichaam. Ik stuiterde tegen het plafond terwijl dat uitgemergelde lijf – echt: in *no-time* tien kilo eraf – nog ergens beneden was. Logisch dat de therapie niet hielp. Hoe kon ik aan mezelf werken of tot inzichten komen als ik zo kwetsbaar en zo instabiel was? Toen de pillen na een week of acht begonnen te werken, ging de therapie ook zijn vruchten afwerpen. Ik ging weer dingen aan, voelde me sterk worden. Ik was er weer!

Later heeft een vriend tegen mijn man gezegd: 'Ja, maar bij Lotje was het wel áltijd lente.' Zak hooi, dacht ik, toen ik dat hoorde. Maar die vriend had wel gelijk. Ik maakte het leven altijd een stuk leuker dan het was. Ik hield mezelf voor de gek. Ik zei bij alles: 'Yo, dat doen we even!'

Ik was mezelf volledig kwijt. Ik voelde niks meer. Niet of ik iets wílde, of ik iets leuk vond of níet leuk vond. Ik draafde maar door. Net een treintje. Ik werd me overspannen! Ik kon niks meer. De oudste van school halen of de jongste uit de crèche, man! Doodsangsten stond ik uit. Mijn moeder is maanden in huis geweest. Ik kon niet alleen voor de kinderen zorgen.

Het begon klein. Het was 14 november 2004. Ik ging naar bed. Draaide me om en deed de lamp uit. Toen glipte ik uit mezelf. Het was de eerste keer dat ik in paniek raakte. Terwijl ik gewoon op mijn linkerzij naast mijn man lag. Dit is niet goed, wist ik. Ik had geen controle meer, mijn hoofd en mijn lijf waren niet meer samen. Ik schoot omhoog de ruimte in. Ik moest mezelf vasthouden om te weten wie ik was. Ik deed de lamp aan en zei het tegen mijn man. 'Kom maar,' zei hij, 'ik houd je vast.' Dat was fijn en toen ben ik in slaap gevallen.

De volgende dag – ik zou naar mijn ouders gaan met de kinderen – huilde ik dat ik niet kon autorijden. Toen heeft mijn man ons gebracht. Ik zei tegen mijn ouders dat ik het niet meer wist. Het leek alsof er iets geknapt was. Ik heb me ziek gemeld op het werk. Ik dacht: ik ben gewoon heel erg moe en ik moet gewoon even stoppen.

Ik ben mezelf verloren toen ik de kinderen kreeg. Die zwangerschappen, de bevallingen en het hebben van een kind, dat heeft me zo ontzettend veel gekost. Ik ben grenzeloos geweest naar mijn kinderen. Lichamelijk en geestelijk. Voor de kinderen er waren, deed ik ook heel erg veel tegelijk, maar was er altijd wel even tijd om pas op de plaats te maken. En ik had altijd een gepaste afstand naar mensen toe. Ik liet anderen niet heel dichtbij komen. Zo hield ik dat heel prettig voor mezelf in evenwicht, de ballen bleven in de lucht.

Maar toen kwam de oudste. Al voor hij was geboren, moest alles perfect zijn. Ik was een paranoïde zwangere. Las ik ergens dat je tijdens de zwangerschap geen zachte kaas meer mocht, nam ik direct geen enkele kaas meer. Moest je groente goed wassen? De schrobmachine erop. Ik deed niet meer wat goed voelde, maar wat in de boeken stond.

Het hebben van mijn zoon was het eerste echt moeilijke ding in mijn leven. Daarvoor kon ik altijd overal onderuit. Ik liep weg. Tot ik de oudste kreeg. Dat was definitief. Terwijl ik hem een heel erg leuk en geweldig jongetje vond. Ik hield ook van hem. Ik vond alleen mezelf niet meer leuk.

Hij was net geboren, ik hield hem vast en dacht: oké, nu kan ik dus nooit meer zelfmoord plegen. Let wel: ik had nooit zelfmoord willen plegen. Het was... de verantwoordelijkheid. Die viel me zo koud op mijn dak.

In een paar maanden tijd nam de angst mijn leven over. Ik raakte in paniek bij de gedachte dat ik boodschappen moest doen. De oudste van school moest halen. Er was paniek als ik alleen was en als ik niet alleen was. Als de kinderen te veel lawaai maakten. Eigenlijk keek ik de hele dag om of de wolk-van-het-ongelukkige-gevoel in de lucht hing en me in zou halen. Daar paste ik mijn leven op aan. Nee, ik ging maar niet naar dat feestje want dat was te druk en dan kreeg ik misschien een terugval. Of: laat ik maar snel naar huis gaan, dan kon ik nog even rusten en dan redde ik het allemaal net.

De paniek was groot, dik en vet. Het ergste was misschien wel de angst om weer in paniek te raken. Het was net een van buitenaf gestuurd ding: 'Ah... daar hebben we Lotje, die zullen we eens even een paniekaanval bezorgen!' Ik durfde geen auto meer te rijden. Toen kreeg ik last in grote ruimtes. Dit gevoel was niet van mij. Het viel op me, het nam me over. Ik dacht werkelijk dat ik gek werd. Dat ik binnenkort opgenomen zou moeten worden in een instituut voor achterlijke gladiolen. Natuurlijk wist ik wel dat mensen overspannen werden, maar ik wist totaal niet hoe je je dan kon voelen. Zo dus. Zo... totaal ontredderd. Ik was bij de haptonoom omdat ik pijn in mijn rug had. Zij zei: 'Teken het maar!' Ik heb enorm zitten krassen op een vel papier. Zo voelde ik me. Thuis bonkte die tekening in mijn tas in de gang. Zo van: daar zit de ellende! Als ik die tas zou opendoen, zou alles eruit knallen.

Ik balanceerde op een dunne draad. Eén zuchtje wind en ik viel. Zaten we bijvoorbeeld op zaterdagochtend aan het ontbijt met eitjes en verse jus, voelde ik me ineens wegtrekken en dacht ik: nu komt het, nu word ik ongelukkig, nog even en ik zie de wereld niet meer zitten. En dan was ik doodsbang dat de duizeligheid nooit meer weg zou trekken en ik nooit meer voor de kinderen zou kunnen zorgen. Mijn man liet me. Hij hield me vast en ging vervolgens door met de dingen die moesten gebeuren. Hij had er geen oordeel over. Heel prettig was dat. Hij zei: 'Ik kan niks voor je doen' en dat was ook zo. Wat ik heb geleerd is dat je het alleen te doen hebt. Ondanks alle lieve mensen om je heen.

De psycholoog zei dat ik vooruitging, zij het langzaam. Ik moest toch eens nadenken over medicijnen. Ik vond het een soort belediging. Ik dacht: ammehoela, geen sprake van, medicijnen zijn voor achterlijke mensen! Ze stuurde me door naar de psychiater. Die legde uit dat in mijn hersenen kortsluiting was ontstaan. 'Jouw angsthormoon heeft zo hard moeten werken dat het geëxplodeerd is. Beschouw het als een chemische reactie. Medicijnen kunnen je rust geven.' Zei ik: 'Maar ik ben zo bang mezelf kwijt te raken.' Zei hij: 'Dat gebeurt niet. De medicijnen drukken je angst naar beneden, naar een normaal *level* zodat de therapie kan gaan werken. Nu is je angstniveau torenhoog.'

De psychiater gaf me het recept mee naar huis. Ik las de bijsluiter. Toen ging ik al bijna dood. Wat me het meest is bijgebleven is de zin dat patiënten niet te veel medicatie meekregen in verband met een overdosis. Zie je wel, dacht ik, ik word gek, er is geen redden meer aan. Dit is het einde, ik word nooit meer zoals ik was. Ik zag de rest van mijn leven voor me: ik zou een labiele moeder worden voor wie de kinderen altijd stil moesten zijn. Dat wilde ik niet. Toen ben ik gaan slikken.

Het was mei toen ik met de medicijnen begon. De wereld om me heen werd steeds groener en ik voelde me heel, heel klein. Ik kon alleen maar huilen en wilde vastgehouden worden als een baby. Ik voelde me zo alleen. Het was een keerpunt. Ik had écht een probleem en zonder medicatie kon ik het probleem niet oplossen.

Daarna heb ik de diepste angsten gekend. Ik liet de angst de vrije loop. Ik hoefde er niet meer tegen te vechten want het was een feit. Ik was gediagnosticeerd. Ik had een angststoornis en de beerput ging open. De angst zat in mij. Het waren mijn gedachten en ik kon er niet voor weglopen.

Ik heb een week met mijn moeder in haar tuin gewerkt. Met mijn handen in de grond. Op mijn hurken in het zand. Dag in dag uit, huilend. Ik weet nog dat ik dacht: nu slik ik dus de medicijnen waarvan iedereen zegt dat je er vlak van wordt, maar ik kán nog huilen! Ik ben in die week zo diep gegaan, daarna durfde ik weer een beetje te leven. Ik dacht: als de pillen niet blijken te werken, stop ik ermee. Toen dacht ik: hé, dit ben ik! Na een week was het extreme eraf en kon ik weer naar huis.

Ik moest alles opnieuw leren. 's Morgens maakte ik een schema wat ik die dag moest doen. Na de crèche: rusten. Boodschappen halen, weer rusten. Broodje eten, rusten. Zoon halen. Hopen dat er geen kindje mee kwam om te spelen. Ik bleef klein, maar er gebeurden dingen. Ik kon weer kiezen of ik kaas of worst op brood wilde. Ik dacht niet meer bij alles: o god, als ik het maar red! Het kruispunt bij de crèche was niet meer eng. Dat was prettig. Langzaam, heel langzaam hoor, werd mijn wereld weer groter. Een kruispunt per week zeg maar. Dat gaf moed. Ik wilde wel gillen: 'Kijk eens wat ik durf!' Ik werd sterker en daardoor kon ik ook weer eens gaan kijken naar hoe ik de afgelopen vijfendertig jaar had geleefd. Plus: hoe ga ik de toekomst invullen? Ik durfde na te denken over het ongelukkige gevoel zonder bang te zijn dat het me zou opslokken.

Ik zakte weer in mijn lijf. De pillen zeiden: 'Het is veilig, kom maar terug!' Werd ik een ander mens? Nee, juist niet: ik herkende mezelf weer. Ik kreeg mezelf terug. Dat was fijn. Ik raakte mijn koude voeten kwijt. De knopen in mijn schouders, de pijn in mijn nieren. Ik ging letterlijk weer voelen, ik keek naar mezelf en dacht: mooi! En als ik op de fiets zat, besefte ik: dit doe ik, ik beweeg mijn voeten!

Ik slik nu bijna een jaar en langzaam leer ik dat ik een op zichzelf staand mens ben. Ik hoef niet bovenop de kinderen te zitten. Ik mag ruimte opeisen, vervelend zijn, scheten laten. Ik ben gewoner geworden. Voorheen was ik een heilig wezen. Ik creëerde een soort ideaalbeeld waar ik zelf in geloofde. Het is rustig om niets op te hoeven houden: dit is wat het is. Ik hou heel veel energie over."

Reinoud Eleveld 

'Antidepressiva zijn kunstmatige oppeppers. Ze jagen mensen over de grenzen van hun eigen gezondheid.'

Reinoud Eleveld (50) is taoïstisch trainer en Healing Tao-instructeur. Hij bekijkt de wereld anders dan de doorsnee Nederlander. Als taoïst streeft hij naar een natuurlijke manier van leven. Zijn visie op depressie en antidepressiva is verrassend.

"De mens leeft niet ín de natuur, maar ís natuur. Dat besef, daar richt de taoïst zich op. Het taoïsme komt uit China en kent een geschreven geschiedenis van zesduizend jaar. De Healing Tao is een gemoderniseerde versie van het taoïsme. Het is een modern stelsel van oude technieken, dat antwoord tracht te geven op de vraag: Wat is het natuurlijke in mij? Hoe word ik authentiek? Hoe leef ik niet vanuit angst? Healing Tao gaat over je vrijmaken van verslavingen en patronen. Een waarachtig mens worden.

De wereld waarin we leven heeft nogal wat onnatuurlijke kenmerken. Ons voedsel heeft nog maar weinig met de natuur van doen en onze samenlevingsvorm net zo min. In de loop der eeuwen zijn we gaan samenwonen in economische *units*. Een man en een vrouw krijgen – gescheiden van anderen – een kind en dat kind wordt in een apart gezinnetje opgevoed. Terwijl als je terugkijkt naar de natuurlijkheid en de mens aapachtig benadert, dan zie je dat apen in *clans* leven. Op een apenrots. Dat is een organisch geheel. Er is een wijze aap die de boel leidt, er zijn mannetjes die voedsel zoeken en vrouwtjes die voor de kinderen zorgen. Er zijn zeker intimiteitslijnen tussen ouders en kind, maar die zie je losser worden als de kinderen ouder worden. Eigenlijk zouden wij mensen meer naar de apen moeten kijken. Economisch is dat echter niet gewenst, want een apenrots heeft maar één ijskast nodig. Terwijl als je de boel opdeelt in veertig *units*, je veertig ijskasten kunt verkopen.

Ik ben 'een zoon van' en 'een broer van'. Dat zijn termen die in de belangenvereniging voor schizofrene mensen gebruikt worden. Mijn vader had in ieder geval psychotische momenten, mijn broer is echt als schizofreen gediagnosticeerd. Als je een vader en een broer hebt die daar mee worstelen, ontkom je niet aan het zoeken naar een strategie. Ze waren allebei zeer intelligent, dus ik kon het niet oplossen met slimmer zijn. Ze waren ook allebei groter en sterker. In zekere zin zat ik in een soort patstelling: kracht kon me niet redden, ik had geen *tools*. Maar als ik kon toveren… kon ik mijn zusjes en moeder beschermen, mijn vader en mijn broer misschien helpen. En mezelf natuurlijk, want je kunt je voorstellen dat ik in mijn jeugd onvoorstelbare angstbelevingen heb meegemaakt.

Als vijftienjarige las ik de stadsbibliotheek leeg en wist ik al heel veel van psychologie en van medicijnen. Ik hield ook wel van voetbal en van achter meiden aanzitten, in dat opzicht was ik niet anders dan andere jongens, maar mijn interesses richtten zich wel op andere zaken. In de psychologie vond ik de antwoorden niet. Vandaar de magie. Ik was al van jongs af aan als een vis in het water als het ging om menselijkheid. Nog steeds. Ik ben een expert op het gebied van menselijkheid.

De grootste valkuil is magie bedrijven om macht te verkrijgen. Mijn wens is nog steeds tovenaar worden, maar: nooit anders dan in dienst van de vrijheid. Als dat je verlangen is, dan betekent dat automatisch dat je je gaat interesseren voor alle vormen van verslaving. Dat is immers het tegenovergestelde van vrijheid. Vragen die daarbij horen zijn: waarom nemen sommige mensen pilletjes en wat is er aan de hand als mensen niet goed in hun vel zitten?

De bedoeling van een antidepressivum is om iemand die in een negatieve spiraal van gedeprimeerdheid of depressiviteit verkeert, de kans te geven daar weer uit te komen. Zodat de kansen op levensgeluk stijgen. Ik maak onderscheid tussen gedeprimeerdheid en depressiviteit. De grootste vergissing die er gaande is – en dat komt gewoon door gebrek aan kennis – is dat mensen die twee dingen verwarren. Een depressie is een pathologische toestand die ook als zodanig behandeld moet worden. Gedeprimeerdheid daarentegen betekent 'stagnatie van de levensvreugde'. Wat je de laatste tijd veel ziet gebeuren, is dat mensen die gedeprimeerd zijn antidepressiva krijgen voorgeschreven. Dat is schadelijk voor hun ontwikkeling als mens.

Mensen die depressief zijn, kunnen heel erg geholpen zijn door tijdelijke medicatie. En dan neem ik het begrip 'tijdelijk' ruim. Soms betekent het dat mensen hun hele leven moeten slikken. Bij depressieve mensen is het zeer riskant om te snel te stoppen en is het heel belangrijk om te zoeken naar het juiste medicijn met de minste bijwerkingen.

Wie gedeprimeerd is, heeft geen medicatie nodig. Gedeprimeerd zijn is een natuurlijke reactie op een onnatuurlijke situatie. Als je dan de natuurlijke reactie gaat straffen met het toedienen van een antidepressivum, bestrijd je dus de natuurlijkheid van je reactie. Het is een omkering van de werkelijkheid. Gedeprimeerd zijn is een uiting van onmacht. Dat is menselijk en is niet vreemd, want we leven in een onnatuurlijke cultuur waarin velen ten onder dreigen te gaan. Psychiaters en dokters die antidepressiva voorschrijven aan gedeprimeerde mensen, zijn mede schuldig aan het ontmenselijken van de cultuur waarin we leven. Ze zouden moeten zeggen: 'Inderdaad, je voelt je niet *senang* en we gaan er alles aan doen om het onnatuurlijke dat jou bedreigt weg te nemen!' We gaan met elkaar op de bres zodat er zoveel politieke druk ontstaat dat er een besef van werkelijkheid ontstaat. Zó kunnen we niet verder! Laten we er met elkaar voor zorgen dat onze politieke leiders en alle *captains of industry* gestopt worden in hun onnatuurlijkheden. Dan zijn dokters goed bezig.

Dokters die te makkelijk pillen voorschrijven, corrumperen in feite hun geweten: ze moeten de *ring of truth* in zichzelf tot zwijgen brengen om eraan mee te kunnen doen. Vaak zijn het mensen die hun geweten al twintig, dertig jaar dempen. Ze hebben een vrouw, kinderen en een ijskast en dat moet allemaal worden betaald. Medicatie voorschrijven lijkt eenvoudig. Het heeft een zogenaamd effect op de patiënten en het salaris wordt toch wel elke maand gestort. In feite zijn deze artsen verslaafd aan het beschadigen van zichzelf en de mensen die ze zouden moeten behandelen.

Als je via kunstmatige weg depressieve gevoelens dempt, duw je mensen diep in de onmacht. Plus: mensen gaan de onnatuurlijkheid niet meer te lijf. Ze gaan zelfs weer deelnemen aan de onnatuurlijkheid en duwen hun kinderen nog dieper in de ellende. Want de kinderen hebben dus ouders, ooms, tantes en buurvrouwen die net doen of er niets aan de hand is! Ze kunnen namelijk, dankzij de medicatie, weer 'functioneren'. Antidepressiva peppen kunstmatig op. Je kunt weer werken en weer meedoen met de wereld. Maar in feite worden mensen daarmee over de grenzen van hun eigen gezondheid gejaagd.

Antidepressiva zijn ontwikkeld om mensen te helpen. En ze helpen de werkelijk depressieve mens ook. Maar de gedeprimeerde mens helpen ze van de wal in de sloot. Het is heel erg belangrijk dat de dokter inzicht heeft in de werkelijkheid. De vraag die de dokter moet stellen aan iemand die gedeprimeerd is, luidt: 'Wát veroorzaakt dat gevoel van onmacht bij jou?' Dan kun je met elkaar gaan praten over misschien een betere baan, een andere of meer opleiding, gezonder eten. Kortom: samen zoeken naar manieren om natuurlijker met jezelf om te gaan en te werken aan een natuurlijkere realiteit met minder stress. Dát is hulp.

De westerse manier van leven is huilende waanzin. We zijn

verslaafd aan de voordelen van deze cultuur. Het prettige inkomen, de huizen waarin we wonen dankzij de hypotheekrenteaftrek, de vakanties die we boeken enzovoort. We vertrappen de natuurlijkheid om onze eigen lustbevrediging veilig te stellen. In feite doen we heel de dag niets anders dan frauderen.

Of we het ooit voor elkaar krijgen onze leefomgeving weer natuurlijk te krijgen – een wereld zonder vervelende bazen, zonder wurging van te hoge vaste lasten en waar kinderen opgroeien in *clans* – het is de vraag. Enige somberheid is wel op zijn plaats. Het mooie van de taoïstische benadering is echter dat het schip altijd gekeerd wordt door de wal. Als een systeem uit balans raakt en dat proces zet zich voort, dan grijpt de natuurlijkheid op een gegeven moment vanzelf in. Net zoals de natuur ingrijpt als er te veel dieren komen, dan ontstaat er hongersnood en sterft het teveel uit. Er is altijd een yin- en yang-beweging. Je zou kunnen zeggen dat we nu in een yang-beweging zitten, waarin de onnatuurlijkheid vergroot wordt. Maar daar zit een grens aan. Op een dag keert het zich weer ten goede.

Je zorgen maken is een deprimerende beweging, is een onmachtsbeleving. De kunst is om je geen zorgen te maken, maar om te constateren. Dat is een groot verschil. Als een boer in de herfst tien balen hooi van zijn land haalt waar hij zijn veertig koeien de winter mee door moet helpen, hoort hij te constateren dat er of te weinig hooi is of te veel koeien zijn. Vervolgens zet hij die constatering om in handelen: hij verkoopt koeien of koopt hooi bij. Met andere woorden: hij gaat op zoek naar een nieuwe balans. Constateren hoort over te gaan in beweging. Ik constateer dat er een heleboel aan de hand is in de wereld waardoor die uit balans is. De kunst is om in beweging te komen. En als we het hebben over het voorschrijven van antidepressiva, moeten psychiaters en andere dokters in beweging komen.

Tegen echt depressieve mensen die antidepressiva slikken, zeg ik: slik zeker door en zoek naar de minimale dosis die voor jou goed werkt. En als je een goede balans hebt gevonden, werk dan aan je gezondheid. Mijn overtuiging is dat hoe gezonder je leeft, hoe minder antidepressiva je gaandeweg nodig zal hebben.

Mijn advies aan mensen die niet depressief, maar gedeprimeerd zijn, is: probeer zo snel mogelijk van de medicijnen af te komen. Versober je leven en kijk of je in die versobering kunt ontdekken hoe je bewustzijnsgroei kunt realiseren. Er zit een verlangen in de mens om gelukkig te zijn. Als je iets voltooit, als iets lukt, geeft dat een geluksgevoel. Je maakt iets 'heel'. Je zou geluk dus kunnen omschrijven als een ervaring van heel worden. Of je je heel voelt, is afhankelijk van in hoeverre je in staat bent de verwerkelijking van je doelen rond te krijgen. Dat wat je wenst en dat wat je kunt bereiken moet één ding zijn. Lukt dat, dan voel je je gelukkig.

Ben je gedeprimeerd, dan moet je dus constateren dat er een discrepantie is tussen wat je denkt te moeten doen en de mate waarin je erin slaagt dat te bereiken. Je hebt je doelen te groot gemaakt, de lat ligt te hoog. Vandaar mijn advies om te versoberen. Je kunt dromen van een dure BMW van zestigduizend euro, maar ook besluiten in een zoveelstehands wagen van vierduizend te gaan rijden. Dat scheelt 56 duizend euro minder druk op je geluksgevoel. Maak het soberder, natuurlijker, wees met wat minder tevreden. Dan zul je eerder gelukkig zijn."

Kees

'Als een cokesnuiver versneed ik de pillen om zo min mogelijk binnen te krijgen.'

Kees (55) kreeg depressies door de ernstige ziekte van zijn vrouw. Hij slikte tien jaar antidepressiva. Toen hij wilde stoppen, bleek dat bijna onmogelijk.

"Mijn vrouw was overspannen, het lukte niet meer op haar werk. Stress, stress en nog eens stress. Ik kwam op een dag thuis en toen vertelde ze allerlei onbegrijpelijke dingen. Ze had de post van de buren gelezen. Ze wist wie het geschreven had en er was van alles gestolen, de stoplichten werden speciaal voor haar op rood gezet. Ze had wanen en dat ging maar door. De diagnose schizofrenie werd gesteld en ze kreeg onmiddellijk medicatie. Dat hielp tegen de vreemde gedachten. Maar van antipsychotica word je ook vreemd. Ze raakte helemaal verstijfd en afwezig, buiten de werkelijkheid. In feite was mijn vrouw overleden. Ze zat hier als een soort stijve pop in de kamer, dag in dag uit. Vijftien jaar lang.

Mijn vrouw en ik deden altijd alles samen. Het huishouden, de kinderen, het inkomen. Daar hadden we voor gekozen, die manier van leven sprak ons aan. Dat ging nu niet meer. Zij kon niets meer. De kinderen waren vijf en zeven. Ik zorgde voor hen alle drie. Ik werkte. Ik deed het huishouden. De draaglast was te groot.

Ik werd steeds somberder. Het was wanhopig. Toen heb ik me Sinequan, een tricyclisch antidepressivum, laten aanpraten. Maar ik werd razend van die pillen. Ik zat overal de hele dag *pats!* bovenop. Iedereen vond het moeilijk hoe ik was. En zelf had ik het gevoel dat ik de emotionaliteit van een robot bezat. Ik heb het twee weken volgehouden, toen dacht ik: laat iemand anders dit maar slikken. Daarna kreeg ik Prozac. De huisarts schreef het voor. Ik dacht: dat is dan makkelijk, dan ben ik van die somberheid af. Er gebeurde niets bijzonders. Ik werd er wat weinig emotioneel van, dat is waar. Ik werd ook een beetje zweterig en trillerig. Kreeg een raar gevoel in mijn keel. En dan was er de roekeloosheid. Ik voelde geen enkel gevaar meer. Ik had een snelle bromfiets en de kick was om diep geconcentreerd en met totale stilte in mijn hoofd, precies te kunnen inschatten waar ik nog kon inhalen. Dat was best prettig.

Voor mijn vrouw ziek werd, beschikte ik over een onwaarschijnlijk soort optimisme. Iedereen heeft wel eens een tegenslag te verwerken. Ach, denk je dan, morgen is er weer een dag. Als je een depressie hebt, kan dat niet meer. Ik kon mezelf niet meer omhoog takelen. Ik heb zes jaar Prozac geslikt en dat heeft me een tijdlang opgetild. Een depressie heeft veel kanten. Het belangrijkste is dat het een gevoel geeft van vreselijk verlies of verdriet. Dat had ik ook. Ik was helemaal doortrokken van verdriet. De Prozac veranderde daar niets aan. Het maakte me wel wat robuuster. De pillen zorgden voor een schild dat me beschermde. Verdriet maakt kwetsbaar, functioneren wordt moeilijk en ik moest functioneren, ik moest de kar trekken. Mijn vrouw bleef ziek. Dat was het grote verdriet, in ieder geval de *trigger*.

Ik denk dat niemand helemaal alleen uit zo'n beroerde situatie kan komen. Misschien lukt het als je uit een gelovige omgeving komt, steun van de kerk krijgt. Dat hoor je wel eens. Ik ben niet gelovig en na verloop van tijd zag ik ook geen mensen meer. De mensen bleven weg. Het is ongezellig als het altijd moeilijk is. Samenleven met iemand als mijn vrouw maakt sowieso eenzaam. Soms zat ik maanden thuis van het werk en werd ik niet meer gebeld door collega's. Op zich was dat goed:

ik kon het werk er niet bij hebben. Maar je bestaat ook niet meer. Ik wilde een einde aan mijn leven maken, maar dat kon ook niet. De kinderen konden niet zonder mij. Ik was te nodig.

We hebben hulp gehad. Natuurlijk. Na de eerste psychose wilden de artsen mijn vrouw opnemen. Dat wilde ik niet. Daarna hebben we verschillende soorten hulp gehad. Maatschappelijk werk heeft van alles gedaan, thuishulp is erbij gehaald en gespecialiseerde thuiszorg. Maar uiteindelijk werkte het allemaal niet. Wat een puinzooi.

Na zes jaar werkte de Prozac niet meer: ik werd opnieuw depressief. Dat was rampzalig. De huisarts schreef Efexor voor. Het werkte meteen. Ik had veel minder last van bijwerkingen, het leek een wat neutraler medicijn. Het ging niet goed, maar het ging weer een beetje.

Boodschappen doen en eten koken ben ik altijd blijven doen. En voor de rest, de schoonmaak en de was, het gebeurde bij vlagen. De kinderen fietsten er tussendoor. Dat was niet het probleem. Hun probleem was dat hun moeder er gewoon niet was.

En toch deed mijn vrouw nog dingen. Ze las de kinderen bijvoorbeeld voor. Maar contact maken? Nee. Mijn vrouw leefde in een andere wereld. De kinderen hadden contact met mij, maar dat liep ook niet altijd even soepel want ik was makkelijk kwaad en kon niet veel hebben. Met mijn dochter van twintig gaat het niet goed. Het ging slecht en het gaat beter, maar toch. En mijn zoon, hij is twee jaar ouder, daar krijg ik geen hoogte van. Die laat niemand naar binnen kijken.

Zes jaar Prozac, vier jaar Efexor. Ik wilde nooit slikken, maar uiteindelijk heb ik bijna tien jaar antidepressiva gebruikt. Ik had geen keus, de pillen hielden me overeind. En ik bleef hoop houden dat het beter met me zou gaan. Zo kun je jezelf dus tien jaar voor de gek houden.

Mijn vrouw slikt nu het nieuwste van het nieuwste, een antipsychoticum waar lang naar is uitgekeken. Het gaat goed met haar en ze is vrijwel verlost van bijwerkingen. Ik kan weer met haar praten. Dat ben ik niet meer gewend. Vroeger, voor ze ziek werd, praatten we ontzettend veel. Ik ben vijftien jaar geleden mijn vrouw verloren en nu is ze weer terug. Zij wil weer verder, maar ik weet niet meer hoe het moet. Er zijn momenten dat het echt gezellig is en dat het goed gaat. Blijkbaar is er dus toch nog liefde over. Er zijn momenten dat het er weer een heel eind is.

Toen de Efexor na vier jaar slikken ook niet meer werkte en ik opnieuw depressief werd, heb ik me aangemeld voor langdurige intensieve therapie. Ik wist het ook niet meer. De therapie sloeg echter niet aan: het ontbrak mij aan emotie. Mijn gevoel leek dood. Ik denk dat iedereen die antidepressiva slikt, dat zal herkennen.

Ik ben de Efexor gaan afbouwen, ik wilde mijn gevoel terug. Eerst heb ik de dosis gehalveerd, dat ging goed. Nou, dacht ik, dan gooi ik de rest er ook maar uit! Maar dat lukte niet. Het was vreselijk. Ik kreeg last van elektrische verschijnselen. Flitsen door mijn hoofd, voor mijn ogen, door mijn hele lijf. Bliksems, elektrische *zaps.* Alsof ik met mijn vingers in het stopcontact zat. De hele dag door, ik voelde me echt ziek. Het probleem is: Efexor werkt kort. Het is na elf uur uitgewerkt. Prozac daarentegen is geloof ik pas voor de helft uitgewerkt na zestien dagen. Dat is een heel ander verhaal. Stoppen leverde me een *cold turkey* op. Het was dus zaak heel langzaam af te bouwen. Ik ben gaan knoeien. Er zijn tabletten met een korte werking en capsules die een lange werking hebben. Ik zat als een cokesnuiver met een scheermesje de boel te versnijden om zo min mogelijk binnen te krijgen. Het ging goed: in drie maanden zat ik op zo'n lage dosis dat ik kon stoppen. Ik had ergens gelezen dat je, als je bijna bent afgebouwd, als allerlaatste een capsule Prozac neemt omdat die zo'n lange werking heeft. Dan ben je daarna verlost. Dat heb ik gedaan.

Maar toen! Toen ontstond de meeste vreselijke emotionele ellende! Mijn hele emotiehuishouding was in de war. Het was alsof ik helemaal vol met gevoel zat, ik moest de hele dag huilen. Of ik begon zomaar te huilen, zonder aanleiding. Het was een soort over-emotionaliteit, een inhaalmanoeuvre. De huisarts kon me niet helpen, want die wist er niets van en de apotheker zei: 'Het is na een à twee weken uitgewerkt en over.' Maar zo is het niet. Ik ben weer heel kleine beetjes gaan slikken. Uiteindelijk ben ik meer dan een jaar bezig geweest met afbouwen.

Het huilen heeft nog lang geduurd, ik ben nog jaren zweterig geweest. Tijdenlang had ik aanvallen van emotionele uitbarstingen die niet van mij leken te zijn. Misschien is dat logisch. Na tien jaar de rem erop, kon het er nu eindelijk uit. Nu ben ik vier jaar vrij van antidepressiva. Ik ben nog nooit zo goed mezelf geweest."

Hugo Kieviet

'Sommige mensen maak je structureel *happy* door ze structureel antidepressiva te laten slikken, dat moet je zo laten.'

Schrijven huisartsen té makkelijk antidepressiva voor? Hebben ze wel voldoende kennis in huis om de juiste diagnose te stellen? Huisarts te Amstelveen Hugo Kieviet (50) antwoordt.

"Natuurlijk is de huisarts vaak de klos. Als er iets misgaat in de gezondheidszorg, krijgt dat wat dichtbij is de schuld. Ik heb zelfs wel eens meegemaakt dat een van mijn patiënten tijdens het dotteren overleed en ik later van de familie het verwijt kreeg dat ik hun vader nóóit had mogen doorsturen. Ik bedoel maar: iemand moet het gedaan hebben.

Patiënten die een depressie lijken te hebben, bestel ik 's middags terug. Dan is er meer rust en meer tijd om te achterhalen wat er achter die somberheid zit, hoe diep de problematiek is en hoe ernstig.

Ik zie mezelf als een verkenner: ik verwijs. Naar de gynaecoloog, de chirurg, de psychiater. Afhankelijk van mijn affiniteit met het onderwerp, in dit geval psychiatrie, doe ik meer of minder zelf. Ik doe wel eens wat aan psychisch disfunctioneren, maar als het gaat om een echte depressie, verwijs ik bijna altijd. Ik vind mezelf eerlijk gezegd niet goed toegerust om dat planmatig aan te pakken. Ik heb wel het boerenverstand, de ervaring en misschien wel het talent om mensen aan het praten te krijgen, maar ik kan het niet oplossen zoals een psycholoog of psychiater.

Ik heb het gevoel dat depressie vaker voorkomt dan een jaar of tien geleden en volgens mij is dat voornamelijk te wijten aan het feit dat het taboe langzaam verdwijnt. Je hoeft je er niet meer voor te schamen. Twee à drie keer per maand schrijf ik antidepressiva voor aan een nieuwe patiënt. Het komt zelden voor dat iemand binnenkomt en er zelf om vraagt. De pillen worden nog steeds eng gevonden. Men denkt dat het ingrijpt op je denken en controleverlies oplevert. Vooral ouderen hebben die aarzeling. Jongeren zetten makkelijker de knop om.

Een lichte depressie is zonder medicatie te verhelpen, maar dat vereist veel energie en veel inzet. Wat ik vaak zie, is dat mensen te weinig inzicht hebben in hun eigen problematiek en te weinig lust of energie hebben om alleen met praten aan de slag te gaan. Mijn ervaring is dat je mensen met antidepressiva terug kunt halen in het hier en nu. Maar de Gouden Regel luidt: als je iemand op de pillen zet, hoort er ook praten bij. Wat dat betreft ben ik voorstander van de klassieke psychiatrie en ben ik geen aanhanger van de biologische psychiatrie die depressies verklaart als een biochemische stoornis.

Ik heb een aantal patiënten die al jaren Prozac gebruiken en zich daar zo wel bij voelen dat ik niet de ambitie heb hen daar af te halen. Het zijn mensen die zeggen: 'Had ik dat eerder geweten.' Mensen die eigenlijk al dertig jaar depressief waren en die altijd vonden: 'Je moet het zelf kunnen! Niet te veel zeuren! Zo is het leven gewoon!' Eén patiënte zei: 'Hier mag u me nooit meer van afhalen.' Sommige mensen maak je structureel *happy* door ze structureel antidepressiva te laten slikken. Dat moet je zo laten, vind ik.

Als er nieuwe middelen op de markt komen die claimen beter te werken, vind ik dat altijd interessant. De meeste huisartsen volgen keurig de beroepsstandaarden en vinden dat je afwachtend moet zijn en eerst de ervaring van de specialist moet horen. Ik denk dan: hoezo? Misschien is het een lichte hang naar avontuur – hoewel ik mijn patiënten niet gebruik als proefkonijn; wat op de markt verschijnt, is allemaal goed doorgeëxerceerd, er is alleen nog niet zoveel ervaring mee.

De informatie over medicatie komt binnen via de vakliteratuur, de nascholing en de artsenbezoeker. Die laatste is niet populair: het gros van de huisartsen 'ontvangt' niet. Er worden kritische kanttekeningen geplaatst bij wat de jongens en meisjes van de farmaceutische industrie vertellen en claimen. Toch heb ik niet het gevoel dat ze alleen maar onzin verkopen. Je moet je wel steeds realiseren dat de verstrekte informatie gefilterd is. Dat is lastig, want de een zegt dit en een half uur later staat de concurrent in de spreekkamer. De argumenten waarom het een beter is dan het ander zijn ook voor mij vaak moeilijk te verifiëren. Ik doe de dingen dus deels op *trial and error*: wat leert de praktijk, waar heb ik goede ervaringen mee?

Het kiezen van de medicatie is moeilijk. Ik denk dat psychiaters meer afgewogen keuzes kunnen maken. De fijnmazerij hoort bij hen, zij weten precies welke pillen net weer even anders uitpakken. Wij huisartsen hebben allemaal onze eigen favoriete middelen. Er valt te kiezen uit drie groepen medicijnen: de SSRI's – Prozac, Seroxat, Cipramil –, de 'oude' tricyclische antidepressiva of antidepressiva als Efexor of Cymbalta, die niet alleen aangrijpen op de serotoninehuishouding maar ook op de noradrenerge transmittersystemen. Ze hebben een breder aangrijpingsgebied. Er is geen waanzinnig grote keus, want alle antidepressiva zijn inmiddels *me too*-preparaten: zusjes en broertjes van elkaar.

Negen van de tien depressies zijn goed door de huisarts te behandelen met een pil. SSRI's werken heel goed. Als je honderd patiënten hebt en je geeft ze allemaal een antidepressivum, dan reageert tweederde daar goed op. Bij eenderde werkt het niet en probeer je iets uit een andere groep. Als je dat consequent doet, kom je uiteindelijk uit bij een pil die werkt.

Te snel stoppen met de medicatie vergroot de kans op terugkeer van de klachten. Ik adviseer altijd een half jaar tot een jaar door te slikken. Ik heb mensen die telkens na een paar maanden stoppen en weer met een nieuw middel beginnen. Ze zien het als een soort krenking dat ze van die pillen afhankelijk zijn. Het is interessant dat mensen boos worden op de pillen en op de dokter die ze voorschrijft. Zonder pillen eindigde je als patiënt in het gesticht of erger.

Overigens is het totale nonsens dat de huisarts zich om laat kopen door de artsenbezoeker. Het zijn spiegeltjes en kraaltjes. De nascholingen in het buitenland – de krenten in de pap – zijn afgeschaft. Dat is jammer. Want als je die bedragen afzet tegen bijvoorbeeld de bouwfraude, dan schiet je in de lach.

Eigenlijk vind ik de woede richting de farmacie onbegrijpelijk. We vreten allemaal die pillen. Het is een godswonder wat er in een paar decennia uit die koker is gekomen. Ik denk dat onze economie wel zou varen bij een farmaceutische industrie die zijn vleugels kan uitslaan. Als je een farmaceut de *drive* om nieuwe geneesmiddelen te ontwikkelen ontneemt en vanuit de overheid artsen dwingt de goedkoopste middelen voor te schrijven – die vaak beproefd, maar soms licht verouderd zijn – dan is dat de dood in de pot. Je remt daarmee ook een bepaalde vorm van evolutie. Het grootste deel van wat wij allemaal weten, komt van de farmaceutische industrie. En ja, daar verdienen ze hun geld mee, maar dat is zo langzamerhand verworden tot een cliché. Farmaceuten kunnen het zich echt niet meer permitteren om alleen maar aan *cash* te denken."

Lidwien

'Mijn verdriet moest gedempt: mijn dochter en ik vernietigden elkaar.'

Lidwien (44) verloor anderhalf jaar geleden heel plotseling haar man. Ze belandde van de hemel in de hel. Haar rouw was zo heftig dat het alles kapot dreigde te maken. Antidepressiva maakten haar mild.

"Het was 21 juli en bewolkt. Ik ging 's middags mijn nieuwe autootje ophalen. Karel en mijn dochter Lana van zeven gingen mee. Toen we thuiskwamen, wilde Karel – sportliefhebber die hij was – graag het laatste eindje Tour de France kijken. Ik ging rommelen met de auto. Lana kwam erbij zitten. We reden hier in de buurt wat heen en weer. Ik praatte nog wat met een buurman en zei tegen Lana: 'Ik wil even kijken of de autoradio erin past.' Dus ik liep naar het huis. De voordeur stond open. Dat vond ik raar. Ik liep naar binnen en daar lag Karel op de grond. Ik zag gelijk dat het niet goed was. Ik heb bij de politie gewerkt en vaak eerste hulp verleend. Ik zag hem en dacht: een hartaanval. Hij was al aan het wegzakken. Hij had zijn urine laten lopen. Ik ben bij hem gaan zitten en zei: 'Karel, wat is er met je?!' Hij ging zitten. Zei dat hij het zo benauwd had. Hij sloeg zijn armen om me heen. Hij werd heel bleek en zijn ogen zakten weg. Hij viel naar achteren. Ik heb gezegd: 'Ik hou van je!' Toen heb ik heel snel 112 gebeld en gezegd dat ze met twee ambulances moesten komen. Dat weet ik van mijn werk: dan kunnen verpleegkundigen reanimeren. Ik heb Lana uit de auto gehaald. Ik dacht: ze raakt in paniek als die ambulances komen. Lana rende naar binnen. Ik dacht: dat is niet goed, dat mag ze niet zien. Ik zei: 'Ga hulp halen bij de buren, papa is niet lekker.' De buurvrouw kwam. Vlak daarop de ambulances en ze begonnen met reanimeren. Dat was afschuwelijk. Ze hebben Karel een half uur gereanimeerd, maar hij was al weg. Ik zag het aan zijn ogen. De ambulancebroeder zei: 'U begrijpt toch wel dat dit ernstig is?' Dat wist ik. Hij was dood en zij hielden hem nog heel even in leven.

De tijd hield op te bestaan. Thuis – uren, dagen, maanden later? – moest ik het Lana vertellen. Karel was haar stiefvader, maar het was haar papa. Daarna moest ik het Karels twee dochters uit zijn vorige huwelijk vertellen, zijn ex-vrouw. Wij waren geen vriendinnen. Zij was ook geen vriendin van Karel. Ik zei: 'Kom maar hierheen, kom mee met de meiden, zij hebben jou nodig. Wat wij van elkaar denken doet nu niet meer ter zake.'

Zijn broer heeft de meeste zaken geregeld. Ik wist niets meer. Niet waar hij verzekerd was, waar de papieren lagen, de adressen. Ik ben de volgende dag wel naar de garage gegaan om de auto te betalen. Dat zou Karel doen. Ik dacht: het moet gebeuren, ik kan die mensen niet laten zitten. Ik ben erheen gefietst. Ze schrokken zich kapot. Bleven zeggen: 'Maar het was zo'n leuke man!' Tot aan de begrafenis kon ik nog heel veel aan.

Daarna stortte ik in. Ik raakte vreselijk in paniek. Ik wilde niet meer leven en was bang van mezelf. Ik heb mijn zus gebeld. Die heeft me meegenomen naar de huisarts. Ik kreeg pilletjes om rustig te blijven. Zo'n middel dat eindigt op pam. Diazepam of zo. Onderdrukkers waren het. Als ik er één slikte verdween de paniek, maar ook elk gevoel. Ik werd een zombie. Ik dacht: mijn man is dood en ik voel niets! Dat klopte niet. Dat wilde ik niet.

Lana was bang. Ze klampte zich als een aapje aan me vast en ik duwde haar van me af. Ik kon het niet aan. Ze was me te veel. Ik zat zo in mijn verdriet. Ze durfde niets meer alleen. Niet meer alleen naar de wc, niet meer boven slapen. Ze durfde nog geen twee stappen de kamer in te zetten of ze rende alweer gillend naar me terug.

Ik werd dol van het verdriet. Ik durfde de straat niet meer op, was bang dat ik in een vlaag van gekte onder de trein zou springen. Ik durfde niet over een viaduct te fietsen omdat ik dacht dat ik naar beneden zou worden getrokken. Ik vertrouwde mezelf niet meer. Met Lana maakte ik alleen maar ruzie. Ze vloog me aan. Ik vloog haar aan. Schreeuwen, ruziemaken. Zo extreem dat de buren mijn familie belden om te zeggen dat het echt niet goed ging met Lidwien. Ik was zo boos. Op God, op het leven, op alles. Ik vond het zo oneerlijk wat me gebeurd was. Was ik eindelijk gelukkig met een man. Stápelgek op die man, we zouden samen oud worden, we hadden huwelijksplannen... ging hij dood!

Karel was goed voor mij. Voor Karel had ik een slechte relatie gehad met Lana's biologische vader. Door die man was mijn zelfvertrouwen onderuitgehaald. Karel gaf het me terug. 'Ik ga jou gelukkig maken!' Hij heeft het wel honderd keer tegen me gezegd. Het liefst wilde ik altijd bij hem zijn. Ik vond het zo'n rotstreek dat hij er niet meer was. Ik wou niet meer leven en mijn dochter stond me in de weg.

Mijn familie heeft me het eerste halfjaar in leven gehouden. Mijn zus kookte iedere dag voor me. Zelf kon ik het niet meer. Karel kookte altijd en de keuken wilde ik niet meer in. Dat was net of ik iets van hem afpakte. Ik kreeg geen hap door mijn keel. Ik viel kilo's af. Bij mijn zus kon ik eten, thuis niet. Daar gaf ik over. Ik deed het huishouden niet meer, de was bleef liggen. Het interesseerde me niets. Eigenlijk was ik ook dood. Gevoelsdood. Ik hield niet meer van mijn dochter. Alle liefde was weg. Later heb ik gehoord dat dat niet raar is, dat het hoort bij rouw. Toen dacht ik dat ik gek was. En eigenlijk was ik dat ook. Ik was zo boos en zo ontremd dat ik op een avond mijn broer wilde vermoorden.

Karels ex-vrouw begon kort na zijn dood spullen op te eisen. Omdat Karel en ik niet waren getrouwd, waren zijn eigendommen voor zijn dochters. Het kwam hen toe. Dat snapte ik wel. Alleen de manier waarop was verschrikkelijk. Ze stuurde me een brief of ik een lijst wilde maken van al Karels bezittingen. Ik heb een berichtje terug gestuurd dat ik daar nog niet aan toe was. Toen kreeg ik van haar een kant-en-klare lijst met alle bezittingen toegestuurd. Mijn hele huisraad stond erop. Of ik maar wilde inleveren: de televisie, het gasfornuis, het servies, de magnetron, een fiets. Een mp3-speler, de kasten, het bed, de nachtkastjes.

En als klap op de vuurpijl kwam er een brief van een advocaat dat mijn ex een omgangsregeling wilde met Lana. Na zes jaar. Toen was de woede op zijn hoogtepunt.

Ik fietste op een weg met wegversmallingen en ging voor niemand opzij. Ik nám de voorrang. Ik wilde doodgereden worden. Ik zocht met iedereen ruzie. De maatschappelijk werkster met wie ik praatte raadde me aan antidepressiva te gaan slikken. Ik was veel te heftig. De vervangende huisarts wilde me geen pillen voorschrijven. Die zei: 'Je zit in de rouw en ik geef geen antidepressiva aan rouwende mensen.' Toen werd ik weer kwaad. Natuurlijk. Ik heb gewacht tot mijn eigen huisarts er weer was. Die schreef ze wel voor, want dat is een pillendokter.

Ik wilde gedempt worden, maar het verdriet nog wel voelen. Ik wilde het niet wegstoppen zoals met die pammetjes. Ik wilde niet iemand zijn die over tien jaar nog zou treuren.

Ik kreeg Seroxat en was er heel blij mee. Ik had mijn hoop erop gevestigd. Er moest iets gebeuren. De toestand hier in huis was onhoudbaar. Ik moest rustig zien te worden, want dan kon Lana ook weer rustig worden. Zij reageerde op mij. Dat had ik wel in de gaten. Wij waren elkaar aan het vernietigen. Ze sloeg, ze beet, ze schopte. Ik mepte terug. Normaal praten lukte bijna niet meer. Ze vroeg aandacht en ik kon het niet opbrengen. Ik kon haar niet troosten.

De eerste twee weken werden de verschijnselen erger, daarna werd ik kalm. Ook tegen Lana. Het schreeuwen was voorbij. Het verdriet voelde ik evengoed nog. Dat ging dwars door alles heen. Maar het heftige was ervan af. Die toppen werden lager en dat voelde erg goed.

Ik ben in rouwtherapie gegaan. Daar heb ik geleerd om mijn kracht te gebruiken. Ik heb er ook geleerd over mijn gevoel. Dat mijn heftige gevoelens normaal zijn. Dat ik met mijn boosheid het verdriet wegduwde. Heel langzaam is het gezakt. En kwam ik steeds dieper in mezelf terecht. Dat heb ik letterlijk in mijn lijf gevoeld. Ik heb een jaar lang met een dolk in mijn buik gelopen, een dolk die werd rondgedraaid. Ik had zelfs pijn in mijn voetzolen. Mijn hele lijf deed pijn van het verdriet. Ik ben door alle fases van de rouw gegaan. Er was de ontkenning, daarna kwam het vluchten. Dan stond ik voor het raam te kijken: wanneer komt hij nou thuis? Overal zag ik Karels auto rijden. Ik dacht dat ik hem zag lopen, ik ben er keihard achteraan gefietst.

Toen mijn vader vier jaar geleden overleed, was het heel anders. De grond was niet weggeslagen onder mijn voeten en de toekomst bestond nog. Het verlies van Karel had mijn leven kapotgemaakt. En toch dacht ik na drie maanden: nu zal ik het wel aanvaard hebben. Zo naïef. Ik weet nog dat ik op de dag dat het gebeurde dacht: de grote vakantie begint, over zes weken moet Lana weer naar school, dan zal het wel weer met me gaan.

Ik ben door het rouwproces een andere Lidwien geworden. Socialer, milder. Dat vind ik wel heel fijn. Ik ben nu zover dat ik verder wil en dat ik iets moois van mijn leven wil maken. Ik heb een fantasie die ik werkelijkheid wil laten worden. Ik droom ervan een camping te beginnen waar mensen in rouw terecht kunnen. Waar je vakantie hebt, waar je als je wilt even wat meer afstand van je kinderen kunt nemen.

Zonder medicatie had ik het niet gered. Dan hadden ze me kunnen opnemen. Ik durf nu nog niet te stoppen met de pillen.

Ik ben bang dat ik weer zo heftig word. Eerst moeten die zaken met mijn ex en met de ex van Karel achter de rug zijn. Dan ga ik ermee stoppen. Eerst de onrust uit mijn leven."

Marcel

'Ik leefde in een zeepbel: alles blonk roze en schoon.'

De Prozac trok de natgepiste paardendeken van hem af: het leven werd fantastisch, de mogelijkheden eindeloos. Tot Marcel (42) uit de bocht vloog.

"Ik genoot van een uitstekend diner in een sterrenrestaurant. Ik bestelde de duurste champagne en at de mooiste gerechten. Het was fantastisch. Tot de rekening kwam, want die kon ik niet betalen.

Zo kijk ik terug op de periode waarin ik Prozac slikte. Door de pillen belandde ik in een heerlijke schijnwereld, waarin ik maar een deel van de werkelijkheid zag. Prozac schoof een filter voor de lens waardoor zelfs stront eruitzag als chocolade. En ook zo smaakte trouwens.

Het was een verrukkelijke tijd. Ik heb er wel eens heimwee naar. Maar het zou kortzichtig zijn om terug te keren naar dat luilekkerland. Dan zou ik mezelf voor de gek houden.

Ik ben vanaf mijn twaalfde somber geweest. Waar mijn vriendin een gemiddeld dagelijks gelukscijfer acht heeft, haal ik maar een vijf. Ik moet elke dag moeite doen, hard werken, om van die vijf een zeventje te maken. Dysthymie heet het, wat zoveel wil zeggen als een chronische, lichte depressie. Het is erfelijk, mijn vader heeft het ook. Zijn mondhoeken hangen naar beneden. Maar hij kan ook lachen, want als je dysthymisch bent, is het leven niet een uitzichtloze zwarte hel. Het is alleen bijna altijd bewolkt. Het is altijd minnetjes. Er zijn leuke momenten, aardige vakanties, verliefdheden en andere meevallers, maar daarna zak je weer weg.

Rond mijn vijfendertigste kreeg ik een vette burn-out. Ik ben in therapie gegaan en werd door de psychiater op de Prozac gezet. Ik kwam ineens in een betere binnenwereld terecht: Prozac was voor mij de filmtrailer van een gelukkig leven. Ik ontdekte dat ik me anders kon voelen. Dat het leven ook voor mij veel leuker kon zijn dan ik altijd had gedacht. Prozac haalde me onder de natgepiste paardendeken vandaan.

Ik deelde op straat snoep uit, sliep vier uur per nacht, had elke dag vijf sociale afspraken. Ik was met iedereen vrienden. En zij met mij.

Ik werd leuk, geestig, ad rem en overal voor in. Heel avontuurlijk ook. De psychiater zag dat het iets te heftig was en zette me op de Zoloft, maar dat was net zo lekker. In het jaar dat ik Zoloft gebruikte, volgde ik elke impuls. Ik kocht impulsief. Of het nou een kroket uit de muur was of een huis. Ik was de rem kwijt. Nu – zeven jaar later – ben ik nog aan het afbetalen.

Mijn gevoel fluisterde me na anderhalf jaar feest in dat ik moest stoppen met de pillen. Een bevriende huisarts zei in diezelfde periode: 'Nou, ik weet het niet met die antidepressiva. Het is schieten in het donker, over tien jaar is het misschien de nieuwe Softenon.' Hij zag het prozaïscher dan ik. Ik dacht niet zozeer over een mogelijk verwoestend effect op termijn. Ik dacht meer na over wat die medicatie met me deed. Ik was die natgepiste paardendeken dan wel kwijt, maar nu werd ik bedekt met een zijden lakentje. Ook dat verdoezelde de werkelijkheid. Ik heb altijd willen weten hoe het leven echt in elkaar steekt. Dat leer je niet zolang je Prozac of Zoloft slikt. Dat is toch een vorm van vals spelen: je leeft in een zeepbel waarin alles schoon en roze blinkt. De buitenwereld is een soort lachspiegel en je kunt overal om grinniken. De dingen hebben letterlijk geen gewicht meer. Ik wilde eerlijk zijn, naast de pret ook de pijn van het leven ervaren.

Toen ik stopte met de antidepressiva was ik binnen drie maanden weer burn-out. Ik kon helemaal niets in die periode. Ik strompelde naar de Spar voor een zak kaascroissants en *de Telegraaf* en dat was het dan voor die dag. Ik lag voor lijk op een bank met gaten. Dat was de werkelijkheid die de Prozac buiten de deur hield. Toen ik nog slikte, dacht ik dat ik eigenaar was van een prachtig bankstel.

Ik ben sint-janskruid gaan gebruiken, maar dat hielp niet veel. Daarna belandde ik bij een soort kruidenvrouwtje. Zij deed aan Reiki en Shiatsu en weet ik al niet meer. Ik wist niet of ik erin moest geloven, maar als ik bij haar was geweest, had ik de volgende dag een ander soort hoofdpijn.

Ik ben ervan overtuigd dat mijn type depressie te maken heeft met het feit dat we in een dolgedraaide wereld leven. De farmacie bedenkt pillen zodat we weer verder kunnen leven in die dolle draaimolen. Het is de norm om afwijkingen te bestrijden. Er zijn honderdduizenden mensen depressief en aan de Prozac. Je wordt ziek omdat het systeem ziek is. En dan deelt die zieke samenleving pillen uit om je er weer in te trekken. Volgens mij is dat niet de weg. Ik probeer het geluk in mezelf te vinden. Het is begonnen met het kruidenvrouwtje. Ik volg het pad van de bewustwording. Het gaat stukken beter met me. Eerlijk zijn, goed voelen wat mijn lichaam me vertelt. Tijdig rust nemen. De Prozac-trailer van geluk inspireert me nog steeds. Ik zoek door. Mijn gemiddelde dagelijkse gelukscijfer moet omhoog."

Inez de Beaufort 

'Er is al genoeg ellende. Waarom zou je niet een aantal dingen verzachten als dat kan?'

Inez de Beaufort (52) is hoogleraar gezondheidsethiek aan het Erasmus Medisch Centrum Rotterdam. Ze houdt zich bezig met – zoals ze zelf zegt – het fileren van argumenten. Antidepressiva zijn een kolfje naar haar hand.

"Ik heb niets tegen antidepressiva. Ik heb sowieso niet zoveel bezwaren tegen het gebruik van pillen om problemen op te lossen. Ook dat maakt deel uit van het zelfgenezend vermogen van de mens. Je moet ze immers zelf slikken en je hebt zelf last van misselijkheid tijdens de beginperiode. Ik vind pillen nuttig. Het kunnen uitstekende hulpmiddelen zijn die je net dat zetje in de goede richting geven.

Mensen denken vaak dat je als ethicus een soort wandelend 'geweten' bent. Dat is een verkeerde veronderstelling. Wat wij doen is op een heel systematische manier ethische kwesties analyseren volgens filosofische manieren van denken. We kijken naar veranderingen in de samenleving en adviseren de overheid.

We praten met elkaar over vragen als: Wat is een depressie? Wat is een pil? Wat is medicalisering? Dat laatste is echt een vies woord geworden in onze samenleving. En dat is onzin. Medicalisering is vaak heel goed! We leven er beter en langer door. Onlangs is ontdekt dat veel allochtone vrouwen te laat bij de huisarts komen als ze zwanger zijn. Daarvan zegt niemand: 'Nou, nou, wat zijn wij gemedicaliseerd!' Nee, we vinden het allemaal vanzelfsprekend en juist dat er goede zwangerschapscontrole is.

Heel vaak wordt ook gedacht dat ethici per definitie tégen zijn. Ook niet waar. Ik zeg niet: 'Wat een schande, al die mensen aan de pillen!' Of: 'Straks komen én Prozac én Ritalin en de hele rataplan in het drinkwater en dan word je op je achttiende ook nog eens verplicht behandeld door de plastisch chirurg!'

Al die doemscenario's, ik ben daar niet van. Bovendien ligt het ook niet zo simpel. Wat betreft het gebruik van medicijnen is het een voortdurend zoeken naar welke indicaties wel en welke niet. En dan is er de vraag waarom bepaalde indicaties opschuiven in een bepaald tijdsgewricht. Ritalin is daar een prachtig voorbeeld van. Voor kindertjes met echte ADHD is het een ideaal medicijn. Ineens voelen ze zich beter en kunnen ze zich concentreren. Maar dan schuift de grens op en krijgen ineens alle drukke kinderen Ritalin. Niet omdat er iets aan ze veranderd is, maar omdat de juffen te grote klassen hebben. Omdat de overheid te weinig geld uitgeeft aan onderwijzend personeel en de leerkrachten overbelast raken. Dit doordenken op een hellend vlak mag zich in een grote populariteit verheugen, maar je moet er voorzichtig mee zijn. Mensen zijn vaak te ongenuanceerd. Dat komt ook omdat we zijn grootgebracht met bepaalde idealen.

Velen vinden bijvoorbeeld dat alles wat natuurlijk is, goed is. Flauwekul! De natuur doet heel veel dingen verkeerd en we mogen blij zijn dat we dat kunnen bijsturen. Is een depressie een natuurlijk verschijnsel? Misschien, maar het is ook een feit dat de chemische balans in het hoofd ernstig verstoord is. Er zit niets rechtvaardigs in de natuur. De natuur is een heleboel willekeur bij elkaar. De natuur heeft ook niet bedacht dat je vanuit wanhoop en depressie een einde aan je leven zou moeten maken.

We hebben ooit onderzoek gedaan naar de rol van de dokter bij schoonheid. Daar spelen vergelijkbare vragen. Als iemand echt lijdt vanwege heel kleine borsten, waarom zou je dat dan niet mogen opereren? 'Omdat je door de natuur zo bent gemaakt!' luidt het antwoord dan. Kan wel wezen, maar als je door de natuur met erwtjes bent bedeeld en je bent er ongelukkig onder en er is geen vent die naar je kijkt... Ik zie niet in wat er dan tegen is op een operatie. Ethici beslissen niets. Wij staan aan de kant toe te kijken en denken mee over grenzen die verschuiven en de gevolgen daarvan. Het is mijn taak om argumenten te fileren en mensen aan te zetten zelf na te denken.

Er wordt wel gezegd dat mensen te makkelijk antidepressiva slikken omdat we zo verwend zijn met z'n allen. Ik vind niet dat we verwend zijn. Ik zie erg veel tobbende, zwoegende, hardwerkende mensen die *nada* verwend zijn. Ik heb juist het idee dat de eisen die gesteld worden, behoorlijk hoog zijn. Ik denk dat het probleem veel eerder is dat veel mensen op hun tenen moeten lopen om het te kunnen bijbenen.

Waarom zou je onaangename sensaties zoals pijn ondergaan? Je hebt van die *diehards* die zeggen: 'Ik ben bij de tandarts geweest en ik heb me niet laten verdoven!' Dan denk ik: je bent niet goed snik. Heden ten dagen laat je niet in je tanden boren zonder prik. Wat is er goed aan? Afzien in de zin van prestaties leveren is prima. Daar zit een idee en een doel achter, dat is prachtig. Maar afzien als het over pijn gaat? In mensenlevens is al genoeg ellende waar geen pil voor bestaat, geen chirurg tegenop kan en geen therapeut iets tegen kan doen. Waarom zou je niet een aantal dingen verzachten als dat kan?

Iemand die heel erg verlegen is, overal als een berg tegenop ziet en echt ongelukkig is onder die verlegenheid, kan geholpen zijn met antidepressiva. Dan kun je zeggen: 'Ja, maar het ligt aan het systeem! Dát moet veranderen in plaats van dat zo iemand pillen moet gaan slikken!' Dat het systeem zou moeten veranderen zodat ook verlegen mensen tot hun recht komen, is wel waar. Maar als je het bekijkt vanuit het individu, vind ik dat veel gevraagd. Als je verlegen bent, ga je niet zitten wachten tot de wereld is veranderd. Die verlegenheid ervaar je als een handicap.

Onze houding ten opzichte van medicatie heeft absoluut te maken met onze calvinistische volksaard. Men vindt: 'Lijden is goed.' En je bent pas genezen of ergens overheen als je zelf door de modder hebt gekropen.

Het voordeel van die calvinistische insteek – eerlijk is eerlijk – is dat we tamelijk verstandig zijn met medicijnen in Nederland. In vergelijking met andere landen hebben wij een heel redelijk soort van medicijngebruik. Niet te veel, niet te weinig. We hebben een kritische nuchterheid en dat is goed. Want dat betekent dat er weinig overbodige medicatie wordt geslikt.

Nogmaals: ik geloof dat er voldoende worstelingen in een mensenleven overblijven waar je je best op kunt doen. We zijn geen verwende slapjanussen. Ik heb ook niet het idee dat mensen minder verdriet hebben in hun bestaan. Over medicatie als antidepressiva kun je zeggen dat het je beïnvloedt. Dat het bijdraagt aan de maakbaarheidcultus. Maar tot op zekere hoogte beïnvloeden we de geest altijd en met allerlei methoden. Je kunt mensen psychologisch en pedagogisch zeer goed vormen en manipuleren. Generaties schoolkinderen hebben alle Duitse woorden uit *Schwere Wörter* moeten stampen. Niemand die het dan had over maakbaarheid. Dus waarom is het nu ineens zo anders? De maakbaarheid speelt zich af op twee gebieden. Er zijn farmacologische middelen en genetische middelen. Daarover gaat het debat en dat is logisch, want er kan heel veel en er zitten ook griezelige kanten aan. In George Orwells boek *1984* kregen de mensen voortdurend een drankje waardoor ze 'gelukkig' werden en niet lastig waren. Kijk, dan haal je de sjeu uit de mens. Daar gaat het in Nederland niet over.

Het lijkt me uiterst onwaarschijnlijk dat de Nederlandse overheid besluit Prozac aan het drinkwater toe te voegen zodat we allemaal een tikkie gelukkig worden. Wat lastiger is, is wat er gaat gebeuren met Ritalin op scholen. Kan het zo zijn dat een leerkracht op een gegeven moment zegt: 'Pietje is zo druk, hij moet aan de pillen'?

En dan de geheugenpil. Men zegt dat die gaat komen. Ik geloof niet dat de overheid zoiets verplicht kan stellen, maar er zullen zeker momenten komen dat je heel moeilijk nee kunt zeggen. Daar worden mensen bang van. Dat je werkgever zegt: 'O, heb je een depressie? Ga dan maar aan de pillen en maandag verwacht ik je weer!' Daarom is het zo belangrijk dat dokters blijven roepen wat ze vinden. Dat pillen slikken alleen niet genoeg is."

Henk Westbroek

'Ik dacht altijd dat ik een nerveus mens was. Dat dacht iedereen. Henk, zeiden ze, die is érg nerveus.'

Mooie-liedjes-schrijver en theatermaker Henk Westbroek (54) meende dat kotsen erbij hoorde. Bleek het een paniekstoornis te zijn.

"Het was een jaar of acht geleden. Ik werkte bij Radio 3. Ineens kreeg ik last van trillingen, kon ik niet meer uit mijn woorden komen. Heel toevallig had ik in dat programma een itempje met dokter Bram Bakker. Die legde als psychiater in een minuut tijd bijvoorbeeld uit waarom een bepaalde popster zo depressief was. Dokter Bram zegt tegen mij: 'Jij hebt paniekaanvallen.' Ik had nog nooit van mijn leven van paniekaanvallen gehoord. Hij stuurde me door naar een collega die bloed afnam, mijn hele verhaal aanhoorde. Mijn complete medische doopceel werd gelicht. Die psychiater zegt uiteindelijk: 'Nou meneer, u hebt ongestructureerde paniekaanvallen.'

Bleek dat allerlei kwalen die ik mijn hele leven al had – op de lagere school werd ik onpasselijk als ik examen moest doen, moest ik overgeven – dat waren ook paniekaanvallen. Wist ik veel! Ik dacht: ik ben een nerveus mens. Dat dacht iedereen. 'Henk,' zeiden ze, 'die is erg nerveus.' Als ik moest optreden, stonden de emmers al klaar. Ik kotste er standaard twee vol vóór ik het podium op moest. Daar heb ik zelfs enige faam mee verworven. De eerste drie minuten op het podium wist ik niet waar ik was. Daarna trokken de angst en de paniek weg.

Die psychiater die me doorlichtte, legde uit hoe het zat. Hij zei: 'Vroeger toen je jong was, ontstonden de paniekaanvallen door stress, maar met het ouder worden krijg je ze zomaar.' Dat was ook zo. Ik kreeg ze zomaar op elke plek. Als ik 's winters van binnen naar buiten ging, raakte ik in paniek door het temperatuurverschil. Werd ik onpasselijk. En als ik moest presteren. Of dat nou op de radio was, bij een optreden voor de televisie of achter mijn eigen bureau... als ik mijn werkkamertje binnenkwam om een stukje te schrijven dat goed, spits en leuk moest zijn, werd ik misselijk, draaierig en ontstonden er een soort hyperventilatieachtige toestanden. Maar dat dat paniekaanvallen waren? Ik had wel eens gehoord van mensen die pleinvrees, liftvrees of vliegtuigvrees hadden.

Vroeg die psychiater aan me: 'Meneer, als u zo'n paniekaanval hebt, wat doet u dan?' Zei ik: 'Dan neem ik een borreltje.' Of liever: 'nam', want ik was juist gestopt met drinken. Ik hield er te veel van en dat kan niet meer met het ouder worden. De katers worden namelijk steeds groter.

'Typisch!' zei de psychiater, 'dat is wat veel mensen doen, alcohol onderdrukt de paniekaanvallen. Maar het vervelende is dat je als het ware je alcoholdosis steeds moet verhogen om hetzelfde effect te bereiken.' Zonder dat ik het wist, deed ik dus lange tijd aan zelfmedicatie. Toen dat wegviel, kreeg ik last.

De goeie man zei: 'Je kunt twee dingen doen. Je kunt een pilletje slikken waardoor je seksleven er als je pech hebt niet op vooruitgaat en je aan de Viagra moet. Of je kunt in therapie gaan.' 'Nou,' zeg ik, 'ik ben niet zo'n pillenslikker, laat mij maar in therapie gaan.' Het werd rationele therapie. Na vier maanden zei de therapeut dat ik te rationeel was om het te laten werken. Toen ben ik die pilletjes gaan nemen. Een goed half exemplaar per dag. Ik kreeg wat moeite om 'm overeind te krijgen, maar dat hield na drie weken op. De paniekaanvallen verdwenen. Nooit meer last van gehad.

Het bewijs van de pudding is de smaak. Van die school ben ik: dit spul werkt. Volgens de mensen om me heen ben ik niet vrolijker of minder vrolijk geworden. Mijn liedjes zijn er ook niet leuker op geworden. Daar heb ik van tevoren wel even goed naar geïnformeerd. Of ik geen *brain dead zombie* zou worden, die als het regent zegt: 'Wat is het mooi weer!' Ik ben niet veranderd. Zelfs mijn ochtendhumeur is gebleven. Als ik moet optreden, ben ik nog wel nerveus en moet ik twee keer plassen van tevoren. Maar het kotsen is voorbij."

Edwin Bas

'Misschien wordt er wel overbehandeld, maar vergeleken met de rest van Europa, schrijven artsen relatief weinig voor.'

Ja, hij wil erg graag meewerken aan een boek over antidepressiva. Hij wil graag de visie van Eli Lilly – fabrikant van Prozac en Cymbalta – ventileren. De farmaceutische industrie heeft niet zo'n beste naam, maar er gebeurt óók veel goeds. Het verhaal van Lilly's Strategy manager Edwin Bas (43).

"Dit bedrijf maakt mensen gezonder en laat ze langer leven. Dat is mijn drijfveer. We maken *life-saving* geneesmiddelen en daar ben ik trots op. Lilly heeft altijd baanbrekende, innovatieve medicijnen gemaakt waar mensen echt wat aan hebben. Alleen de manier waarop dat aan de man wordt gebracht, wordt vaak negatief beschreven in de media. Het afgelopen jaar zijn er meerdere boeken verschenen, die de farmaceutische industrie in een kwaad daglicht stellen.

Natuurlijk hebben mooie verhalen over genezing geen nieuwswaarde. Negatieve verhalen over iets engs met een geneesmiddel, achtergehouden informatie of een omgekochte medewerker wél. Dat is een feit. Maar blijkbaar hebben we het er zelf als farmaceutische industrie ook naar gemaakt. Het gevoel dat bij de mensen leeft over onze branche, is niet positief. Men denkt: er wordt heel veel winst gemaakt, de artsen worden maar uitgenodigd voor mooie reisjes en het gaat over de ruggen van de patiënten!

Dat is niet waar. Vijf jaar geleden zijn we bij Lilly zogenaamde *Corporate Branding* gestart om dat negatieve imago te bestrijden. Het streven is ons bedrijf net zo betrouwbaar te maken als bijvoorbeeld een Douwe Egberts. Vroeger ging het als pillenboer goed met je als je *blockbusters* maakte: medicijnen die één miljard dollar *sales* genereerden. Dat is niet meer zo. Alle farmaceutische bedrijven, en wij als Lilly ook, moeten het waas van geheimzinnigheid en het er-is-daar-iets-niet-pluis-imago van ons afschudden.

Efpia, de koepel van de EU-geneesmiddelenbranche, houdt precies bij hoe er in de media over onze industrie wordt gepraat. In de eerste helft van 2006 verschenen er tegen de duizend *newsstories* over farma in het algemeen. Slechts twintig procent daarvan betrof positieve berichtgeving. Ik denk dat je de negatieve berichtgeving alleen kunt stoppen door de deuren open te zetten.

Ik denk dat er vroeger best wel onderzoeken waren die niet gepubliceerd zijn. Dat is exact de reden waarom we een aantal jaar geleden gezegd hebben: we gaan alle resultaten van onze klinische studies openbaar maken op lillytrials.com. Mogelijk zijn er dus studies waarvan we zeggen: 'Tja, wat betreft effectiviteit komt het er niet zo goed uit.' Dat kan. Dat is dan dikke pech.

Als we deskundigheid inhuren – sprekers voor een symposium of artsen voor een adviescommissie – werken we met standaardprocedures en vaste uurtarieven die variëren van 80 tot 160 euro per uur. Huren wij vooraanstaande psychiaters in, dan ontvangen zij, volgens contract, een uurtarief van 160 euro. In de toekomst zullen ook dit soort geldstromen openbaar gemaakt moeten worden. Net als de donaties aan patiëntenverenigingen. De media suggereren dat de patiëntenverenigingen lobby-trajecten van de farmaceutische industrie zouden zijn. Maar we hebben transparante contracten en die worden actief gecontroleerd.

Over farmabedrijven wordt gezegd dat ze ziektes bedénken. Bijvoorbeeld omdat depressie tegenwoordig veel vaker voorkomt dan vroeger. Maar vroeger kwam het net zo goed voor, alleen werd er weinig aan gedaan. Vóór de introductie van Prozac in 1989 bestonden er ook al medicijnen tegen depressie. Dat waren de tricyclische antidepressiva. Die werden ook best wel voorgeschreven, maar niet veel omdat ze niet veilig genoeg waren, je kon er suïcide mee plegen. Toen de SSRI's verschenen, waren huisartsen eerder geneigd ze voor te schrijven. Depressie is niet gemáákt. Het taboe is doorbroken. Van een schaamtevolle aandoening waar je niet over sprak, werd het een ziekte die steeds beter werd gediagnosticeerd. Prozac en andere SSRI's behoren tot de doorbraakmedicatie van de afgelopen decennia. Er was sprake van onderbehandeling. Dat is met de komst van de nieuwe, veilige antidepressiva verholpen. Dat hoor je terug van de artsen, de psychiaters en de patiëntenverenigingen.

Prozac was indertijd voor Lilly een *blockbuster*. Wereldwijd was Prozac goed voor 3,5 miljard dollar *sales*. Is dat veel? Helemaal niet. Als je kijkt naar de cholesterolverlagers van tegenwoordig, dan zitten die op 12 miljard dollar en Cymbalta, ons nieuwe antidepressivum, haalde in 2006 het *blockbuster*-criterium van een miljard dollar. De hysterie over Prozac en hoeveel geld Lilly daaraan verdiend heeft, is overdreven. Het gaat er natuurlijk om hoeveel het heeft bijgedragen aan de kwaliteit van leven van vele miljoenen mensen die depressief waren.

Ik denk dat huisartsen er vroeger niet op gespitst of getraind waren om bepaalde ziektebeelden te herkennen. Tegenwoordig zijn huisartsen veel beter geschoold om symptomen van depressie te herkennen. Hierin heeft de farmaceutische industrie een grote rol gespeeld, die heeft al die nascholing namelijk betaald en uiteraard is dat voor de industrie een gunstige bijkomstigheid. Als er meer depressie wordt gediagnosticeerd, worden er immers meer antidepressiva voorgeschreven.

Alles is inzichtelijk en voldoet aan de richtlijnen van de Code Geneesmiddelen Reclame. We mogen bijvoorbeeld cadeautjes geven aan de artsen, als het maar praktijkgerelateerd is en onder de vijftig euro per cadeau. Drie cadeautjes per jaar. Meer niet. Toen ik achttien jaar geleden begon als artsenbezoeker, bracht ik wel eens flessen wijn langs, nam ik artsen mee uit eten of gingen we naar een voetbalwedstrijd. Dat mag niet meer. De regel luidt: geen sociale *events*.

Nascholingen in Barcelona met etentjes en overnachtingen in vijfsterrenhotels zijn er niet meer bij. Vroeger namen we tien of twintig psychiaters mee naar belangrijke congressen overal ter wereld. Nu betalen we slechts de helft van het ticket – géén businessclass – en de helft van de verblijfkosten. Sociale activiteiten zijn voor eigen rekening.

We zijn niet roomser dan de paus. Ik houd me bezig met pure marketing. Wat Lilly doet is zich proberen te differentieren. Dat doen we met innovatieve geneesmiddelen en omdat we een club zijn waar artsen en patiënten vertrouwen in hebben. Dat is marketing waar de patiënt uiteindelijk beter van wordt. Dat hoef ik niet aan mezelf te verkopen, want ik geloof er heilig in.

Ons doel – transparant zijn – is een lastig doel. We moeten geld verdienen en liefst meer dan de concurrent. Zo houd je de aandeelhouders tevreden en stel ik mijn eigen bonus veilig. Daarnaast willen we een goed gevoel creëren. Als je dat goed doet, ontstaat een win-winsituatie. We hebben zorgprogramma's als *Health for You* waar geen pil in zit. Het geeft goede leefadviezen aan psychiatrische patiënten. Daar verdienen we niets aan. Je kunt daarvan zeggen: 'Ja, lekker slim van Lilly, zo kiezen de artsen later ook voor hun pillen!' Nou, dat hoop ik ook."

Aly van Geleuken 

'De wereld is harder en sneller geworden en we missen structuur. Daarom zijn meer mensen depressief.'

Psycholoog Aly van Geleuken (50) is hoofd van het Depressie Centrum van het Fonds Psychische Gezondheid en al ruim tien jaar depressiedeskundige. Aan haar de vraag: Wat zijn de signalen? Verandert de indicatie depressie of verandert de patiënt?

"Depressie is de ziekte van het verlies. Verlies van interesse en plezier, verlies van emotie en kleur. Depressies ontstaan vaak op kruispunten in het leven. Middelbare scholieren die na het eindexamen op kamers gaan en gaan studeren, kunnen in het laatste jaar van de middelbare school verschrikkelijk depressief worden. Omdat ze voelen: nu komt het erop aan. Nu ga ik beslissingen nemen die de rest van mijn leven bepalen. Dat kan heel bedreigend zijn. Datzelfde gebeurt met aanstaande ouders. Of met mensen die de veertig naderen en ineens overvallen worden door het besef: ik zit al twintig jaar bij dezelfde baas, blijf ik dit de rest van mijn leven doen of neem ik nog één keer een rigoureuze stap? Op de een of andere manier kunnen ze die stap tot verandering niet zetten zonder eerst een fase van ernstige depressie door te maken.

Wat vroeger de *midlifecrisis* werd genoemd, krijgt tegenwoordig vaak het label depressie. Ik weet zeker dat er meer depressie is dan vroeger en niet alleen als gevolg van een betere diagnostiek. Een van de belangrijkste redenen is het wegvallen van structuren in de samenleving. Het geloof bijvoorbeeld was een stuk houvast waar veel mensen sturing en richting aan ontleenden. Nu moet je steeds meer op eigen kracht kunnen en niet iedereen is daar even goed voor toegerust.

Het toenemend aantal mensen met een depressie heeft zeker te maken met de maatschappij die verandert. Met het individualisme. En natuurlijk, je weet nooit wat er als eerste was: de mens die verandert door de maatschappij of de maatschappij die verandert door de mensen. Dat kun je niet uit elkaar trekken. Wat wel zeker is, is dat vanaf eind jaren zestig – de tijd van *flower power*, keuzevrijheid en het geloof dat aan de kant werd gezet – de evolutie van de menselijke bewustwording een enorme sprong heeft gemaakt. Ik denk dat niet iedereen dat even goed kon hanteren. De toegenomen uitwassen en ontreddering in de samenleving hebben daar ook mee te maken. De rem die eerst van buitenaf werd opgelegd, moet je nu zelf hanteren. Niet iedereen kan dat.

Hoe komt het toch dat tegen psychische ziekten zoals depressie zo anders wordt aangekeken dan tegen bijvoorbeeld een maagzweer, een hartinfarct, reuma of suikerziekte? Hoe komt het toch dat mensen met een depressie zich daar zo schuldig over voelen?

Over het exacte ontstaan van een depressie is meer niet dan wel bekend. Er is bijna altijd sprake van een samenspel van 'bio-psycho-sociale' factoren. Elk menselijk wezen kun je beschouwen als een systeem dat door deze drie-eenheid wordt bepaald. Bij het ontstaan van depressie spelen aanleg en erfelijkheid (biologisch), perfectionisme, onzekerheid, behoefte aan bevestiging, kortom het karakter (psychologisch) en de omgeving, contacten met anderen (sociaal) een rol. Maar diezelfde factoren hebben ook invloed op het ontstaan van lichamelijke ziekten.

Zoals we allemaal griep kunnen krijgen, zo hebben we allemaal een soort aanleg om depressies te krijgen. Als je goed eet, op tijd rust en je immuunsysteem sterk houdt, krijg je geen griep. Soms zijn er omstandigheden die buiten jezelf liggen en je toch ziek doen worden. Er zijn fases in je leven waarin er veel van je wordt gevergd. De een krijgt dan griep. Een ander krijgt iets psychisch. En het een is niet beter of slechter dan het ander.

Ieder mens wordt op z'n tijd wakker met het gevoel: 'Het liefst zou ik de hele dag in mijn bed blijven liggen.' Alles gaat fout op zo'n dag. Je laat in de badkamer iets kapot vallen. Je bent moe, je krijgt ruzie op je werk. Alles en iedereen lijkt zich tegen je te keren. Zo'n dag dus die je liever over had willen slaan. En als je een paar van die dagen achter elkaar hebt, denk je: ik zit niet lekker in mijn vel, het gaat helemaal niet goed. En wat doet de huisarts dan? Die schrijft vaak al antidepressiva voor. Uit onmacht of omdat er geen tijd is voor een echt gesprek.

Ik maak onderscheid tussen depressiviteit en depressie. Depressie is een ziektebeeld, een stoornis waarbij medicatie vaak onontbeerlijk is. Depressiviteit hoort bij het leven. Ik denk dat de meeste mensen depressiviteit en depressie verwarren.

Depressies doen zich in allerlei gradaties voor, van mild tot zeer ernstig. Bij zwaar depressieve mensen kunnen antidepressiva fantastisch werk doen. Ze onderdrukken de verschijnselen en maken je toegankelijk voor therapie.

Mensen met een milde of lichte depressie hebben meestal helemaal geen medicijnen nodig. Vaak krijgt deze groep de medicatie echter wel voorgeschreven. Ze hebben veel last van bijwerkingen, maar de effectieve werking wordt niet ervaren. Dat komt: antidepressiva zijn eigenlijk niet ontwikkeld voor matige en lichte depressies.

Het Depressie Centrum bestaat sinds 1997. Toen we begonnen, gingen de vragen van mensen die belden naar onze informatielijn, bijna altijd over de depressie zelf. 'Wat is het nou precies?' 'Zou ik dat kunnen hebben of niet?' En: 'Wat houdt een behandeling in?'

Nu gaan de vragen voornamelijk over medicijnen. Dat is opvallend. Nu vraagt men: 'Ik heb een recept voorgeschreven gekregen en ik lees de bijsluiter en vraag me af of ik wel moet beginnen!' Of: 'Ik heb gelezen in de krant dat Seroxat suïcidaliteit bevordert; ik slik dat, moet ik nu stoppen?'

In 2006 rondde het Trimbos Instituut een interessante *pilot* af over overbehandeling van depressie: Doorbraakproject Depressie. De wachtlijsten in de GGZ hebben ons geleerd dat ongeveer de helft van de mensen met een matige tot lichte depressie opknapte tijdens de maanden dat ze op de wachtlijst stonden voor therapie. Ze werden gewoon uit zichzelf beter. Dat wachten is nu geprofessionaliseerd: *watchful waiting* wordt het genoemd. Tegen mensen met depressieve klachten die op het spreekuur komen, zegt de huisarts: 'We zien het even aan, we wachten even af hoe het met u gaat.' De patiënt krijgt informatie mee, tips om zelf aan de slag te gaan. Geen pillen. Toen we het Doorbraakproject Depressie opstartten, zeiden juist de huisartsen: 'Maar dat gaat me niet lukken! Want dan denkt de patiënt dat ik hem met lege handen naar huis stuur!'

Aan het eind van het project zeiden diezelfde huisartsen: 'In plaats van een recept voor te schrijven, heb ik geleerd te communiceren over de aandoening.' Het aantal recepten voor antidepressiva daalde van 61 naar 11 procent!

Aandacht en contact, dat is het geheim. Niet alleen in een behandelsetting, maar ook in het dagelijks leven. Er zijn heel veel mensen eenzaam, ongeacht hoe ze wonen of leven. En niet alleen ouderen, ook binnen relaties en in gezinnen. Misschien is dat wel de ziekte van deze tijd.

Zoals je kinderen leert over gezond eten en bewegen, zo zou je hen ook weerbaarheid tegen het leven kunnen aanleren. Kinderen zou je moeten leren omgaan met teleurstellingen, met pesten, verlegenheid, faalangst. Ik denk dat dat de basis is voor een gezondere samenleving. Ik ben ervan overtuigd dat het gaat komen, zeker nu de langer-en-gezonder-levenprogramma's van het ministerie er zijn. Na 'meer bewegen', 'stoppen met roken' en 'overgewicht voorkomen' is het volgende onderwerp: 'aan de slag met de psyche'.

In mijn fantasieën zie ik een soort *life style* centrum voor me, waar we in het jaar 2020 allemaal minimaal twee keer per week naartoe gaan. Eerst volg je er een workshop 'omgaan met verlegenheid' of een andere weerbaarheidscursus, daarna doe je fitness en je sluit af met een bezoek aan de diëtist, die naar je voedingspatroon kijkt.

In Nederland wordt bij veel goede initiatieven geroepen dat het niet kan vanwege de financiën. Dat is onzin. Kostenbesparing is een oneigenlijk argument. De drijfveer moet zijn: verbeter de kwaliteit van leven. Dat was al zo in de oudheid. Aristoteles zei ooit: 'Het doel van het menselijk bestaan is geluk.' Als mensen gelukkig zijn en tevreden, kunnen ze accepteren dat het leven zich soms anders voordoet dan men zou willen. En zijn ze beter opgewassen tegen de onvermijdelijke teleurstellingen die het leven ook met zich meebrengt. Als mensen werken aan hun eigen geluk en beseffen dat ze daar zelf verantwoordelijk voor zijn, zal dat op de lange termijn financieel voordeel opleveren. Het zorgt immers voor minder huisartsenbezoek en minder consumptie van antidepressiva. Maar, toegegeven, ik ben misschien te veel een idealist."

Vera

'Na jaren slikken vraag ik me af wie er nou vrolijk is: ik of die pillen?'

Vera (46) slikt al zeven jaar antidepressiva. Maar: waarom neemt ze de pillen nog steeds? Bovendien rijst de vraag wie ze is zónder de medicatie.

"Boudewijn de Groot zong ooit: 'Als de rook om je hoofd is verdwenen.' Zo was het. Toen ik tien jaar geleden stopte met roken, was dat het begin van de depressie. Toen de rook om mijn hoofd was verdwenen, moest ik het zelf doen: de sigaretten hadden vijfentwintig jaar mijn gevoel gedempt. Mijn collega's smeekten me weer te beginnen. Ik was mezelf niet, zat huilend op kantoor, werd agressief. Alle onderdrukte gevoelens kwamen naar boven. Iedereen zei: 'Wat góed dat je bent gestopt met de sigaretten!' Ik antwoordde: 'Dat is waar, het leven heeft verder geen zin meer, maar ik ben gestopt.'

Ik ben jaren depressief geweest. Ik was het en ik bleef het. Ik had gesprekken en verschillende soorten therapie. Maar het schoot niet op: ik was altijd droef. Mijn psycholoog zei dat het zo niet langer ging en stuurde me naar een psychiater. Hij schreef me antidepressiva voor. Volgens hem was ik al tien jaar aan het proberen de depressie te onderdrukken. Misschien was dat wel zo. Ik ben iemand die alsmaar doorzet. Tanden op elkaar en dóór! Ik heb er letterlijk mijn kiezen op stuk gebeten.

Eigenlijk wilde ik geen pillen. Ik voelde grote weerstand. Ik vond: met pillen ben je jezelf niet meer. Die psychiater zei: 'Maar je bent ook geen huilende vrouw.' Daar had hij gelijk in.

Door de depressie was ik een huilende vrouw geworden. Hij kwam met het verhaal dat ik blijkbaar niet voldoende serotonine aanmaakte. Ik had een tekort, zoals suikerpatiënten een tekort aan insuline hebben. Tja, dat verhaal, ik vind het een zoethoudertje, een iets te makkelijk verkooppraatje.

Ik ben toch gaan slikken, omdat ik hoopte dat er iets zou gebeuren. Ik besloot: ik ga gewoon weer vrolijk doen. Als ik doe alsof, wórd ik het misschien ook wel. Het werkte, ik werd vrolijk. Alleen vraag ik me nu, na zeven jaar slikken, af: wie is er nou vrolijk, ben ik het of zijn het die pillen?

Sinds een paar maanden heb ik er een nieuwe vriend bij. Hij is iemand die doorvraagt en kritische vragen stelt. Hoezo dan? Waarom dan? Is dat waar? Door die confronterende gesprekken ben ik anders naar mezelf gaan kijken. Alsof ik ineens uitzoom en mezelf met enige afstand bezie. Het lijkt zo langzamerhand tijd om mezelf nu eens écht aan te kijken. De antidepressiva zorgen ervoor dat dat niet hoeft. Maar: stoppen met de medicatie maakt me bang.

Een jaar of vier geleden – ik slikte toen drie jaar – wilde ik de medicatie ook afbouwen. Ik voelde me goed, maar was er dikker door geworden. Ik slikte op dat moment 150 milligram per dag. Ik had zelf bedacht vier weken op de halve dosering te gaan zitten en daarna te stoppen. Ik heb dat plan toch even voorgelegd aan mijn huisarts. Hij had al die jaren het recept verlengd. Zonder me overigens ooit een vraag te stellen over hoe het met me ging. Raar vond ik dat, maar zolang het goed gaat, gaat het goed. Blijkbaar.

Dus ik zeg tegen die huisarts dat ik wil afbouwen. Hij antwoordt: 'Goed idee, goede tijd van het jaar ook – het was voorjaar – stop er maar mee.' Zeg ik: 'Acuut?' 'Ja hoor,' zei hij, 'dat kan best.' 'Is dat niet wat rigoureus, zal ik niet eerst op een halve dosis gaan?' vroeg ik. Nou, dat kon ook wel, was zijn antwoord. Bij de apotheek vroeg ik het nog eens na. Zei de apotheker: 'Nee hoor, nóóit zomaar stoppen, áltijd afbouwen!'

Het afbouwen is niet gelukt. Toen ik ging minderen, kwam de faalangst terug.

Ik zei altijd tegen mezelf: ik kan het niet, ik deug niet. Dat is voorbij. De pillen bestrijden de faalangst. Op mijn werk doe ik de dingen goed, in één keer in orde, in één keer geregeld. De Efexor maakt me wat nonchalanter, wat makkelijker. Maar de vraag die nu alsmaar de kop opsteekt is: zorgen de pillen ervoor dat ik goed meedraai in het bedrijf waar ik werk of gaat het goed met me omdat mijn baan me bevalt? Ik denk dat de medicatie me net een extra zetje heeft gegeven.

Soms denk ik dat het niet aan mij ligt, maar aan de wereld. Het slikken van antidepressiva is een concessie om mee te kunnen blijven draaien in de maatschappij. Ik vind het moeilijk mijn plaats in de wereld te vinden. Als kind was het zo: mijn moeder en mijn broer waren de doeners, mijn vader en ik de dromers. Toen mijn vader op mijn zeventiende overleed, was mijn eerste gedachte: hoe kan ik nu op tegen die twee? Ik ben erachter gekomen dat ik mezelf voorbij ben gelopen om met mijn moeder en broer op te kunnen gaan. Misschien heb ik mezelf mijn halve leven wel verloochend om niet ondergesneeuwd te raken.

Ik zou wel willen weten wie de echte Vera is. Ik wil haar graag leren kennen. Die nieuwe vriend van me vindt dat je, als je antidepressiva slikt, van alles onderdrukt. Oók wie je bent. Ik denk dat hij gelijk heeft. Maar ik ben bang.

Ik functioneer, maar ik ben bang dat ik er weer helemaal in donder. De afgelopen zeven jaar ben ik veranderd. Ik heb bijvoorbeeld de gedachte losgelaten dat je geluk vindt in een relatie. Geluk zit in jezelf, weet ik nu. Ik heb spirituele cursussen gedaan, ben ouder geworden. Als ik naar de Vera van vroeger kijk, weet ik dat ik gegroeid ben. Vroeger in therapie wilde ik de perfecte patiënt zijn, *pleasde* ik de therapeut. Nu ben ik meer mezelf. Ik heb meer zelfvertrouwen gekregen. Ik hoef niet meer alles te weten.

En dan toch die angst. Ik snap het niet. En ook weer wel. Ik weet wat ik heb en niet wat ik krijg. Hoeveel stront komt er boven als ik stop? Maar ook: hoe ver ben ik afgedreven van mijn eigen ik? Dat vind ik een heel spannende vraag. Mijn grootste angst is dat ik zal miskleunen op mijn werk. Ik functioneer nu normaal en zit redelijk goed in mijn vel. Maar zit ik echt goed in mijn vel of komt het door die pillen? En: kan ik van mezelf de zaken goed overdenken en relativeren of is dat te wijten aan de Efexor? De enige manier om daar achter te komen is stoppen. Wie belooft me dat ik de dingen reëel en helder blijf zien? Kan ik het zelf wel? Zal ik het wel durven?"

Vera is een gefingeerde naam.

Geert-Jan Nijs

'Eindelijk verlost van het stempel pillenboer-met-dubbele-agenda.'

Voet tussen de deur en duwen maar. Dat was wat artsenbezoeker en productmanager Geert-Jan Nijs (41) jarenlang deed. Tot hij besefte dat het managen van een ziekte verder gaat dan het schuiven van dozen en het halen van omzetten.

"Ik wilde vroeger bij de marechaussee. Grensbeveiliging, brigade speciale beveiliging, dat was een jongensdroom. Kreeg ik het aan mijn knie, viel die droom in duigen. Na allerlei omzwervingen kwam ik in de verpleging terecht. Ik vond het prettig om zieke mensen te verplegen met als doel de verhouding tussen ziek zijn en welzijn te verbeteren. Door bezuinigingen kwam daar echter niet veel van terecht en de irritatie nam toe. Zoekend naar wat anders belandde ik in de farmaceutische industrie. Ik werd artsenbezoeker. Een mooi pak, een koffertje, een leuke auto. En natuurlijk op niveau met de arts praten. Ik vond het wel wat.

Ik heb in al die dertien jaren in de artsenbezoekerij geleerd dat 98 procent van je verkoop mensenkennis is en twee procent wetenschappelijke knowhow. Zeventig procent van je verkoop is gunnen.

Natuurlijk wist ik dat ik terechtkwam in een harde commerciële wereld, maar ik had nooit gedacht dat er zo weinig naar de patiënt gekeken zou worden. Ik dacht eigenlijk meteen: ik ga het anders doen. Waar het mij altijd om is gegaan is de vraag: hoe kan de patiënt het beter krijgen? Er schuilt wel iets van een idealist in me. Ik ben een idealist in een heel mooi pak. Dat botst. Thuis, in mijn werk, met mijn klanten. Maar het kan niet anders. Het is mijn ding geworden.

Geworden, ja. In het begin als artsenbezoeker wilde ik scoren, omzet maken. Ik maakte promotie en werd op mijn vijfentwintigste productmanager van acht producten. Ik verkocht het als wasmiddelen; 'Wij wassen witter dan wit!' Ik had maar mavo en dat is in zo'n functie redelijk apart. Ik wilde laten zien wat ik in mijn mars had. Maar ik moest steeds meer concessies doen aan dat idealisme van me. Ik was helemaal geen jaknikker, maar op een gegeven moment moest ik dat wel worden. Er kwamen opdrachten van hogerhand: 'We zeggen dit of we zeggen dat over het product.' Maar vaak was het niet beter voor de patiënt. Dan moest de prijs weer omhoog en zei ik: 'Maar dan moet de patiënt bijbetalen!' Ik kon er niet meer tegen. Vervolgens zat ik een halfjaar met een burn-out thuis. Ik dacht: ik ga niet meer terug naar de farmaceutische industrie, ik wil weer als idealist aan de slag. Een headhunter vroeg of ik antidepressiva bij Organon wilde gaan doen. Ik twijfelde, maar zei uiteindelijk ja.

Er lagen ongelooflijke promotiebudgetten klaar. Er waren vele miljoenen euro's per jaar uit te geven en elk jaar was het weer op. Terwijl het product zelf maar zes miljoen omzet maakte. Ik ben eens door die magazijnen gaan lopen. Lagen er stellingen vol met boeken en cadeautjes, gewoon om het geld op te maken. Het was mijn taak het lijntje van de omzet omhoog te krijgen. Ik ging vol goede moed aan de slag.

Organon maakte in die tijd onder andere het antidepressivum Remeron. Tachtig procent van die markt was voor de SSRI's. Remeron is een antidepressivum dat op een andere manier dan SSRI's de depressie te lijf gaat. Wij hadden tien procent van de markt.

Met de behandeling van depressies zit het als volgt. Zeventig procent van de mensen met een depressie is goed te behandelen met een SSRI. Bij dertig procent van de patiënten slaat het niet aan. Ik ben me gaan richten op die groep uitvallers. Ik vroeg aan de huisartsen wat ze ná de SSRI voorschreven aan de uitvalgroep, of ze de mensen behalve pillen ook psychotherapie aanraadden. Ik adviseerde wanneer ze 'mijn' geneesmiddel voor zouden kunnen schrijven en wanneer niet. Kortom, in het belang van het welzijn van de patiënt zocht ik naar een oplossing voor het probleem van de arts.

Mijn aanpak was een cultuurschok binnen Organon. Ze hadden in die vier jaar dat Remeron op de markt was alsmaar geroepen: 'Wij zijn de nummer één!' Maar in de praktijk was dat helemaal niet zo. Toen kwam ik en ik bood hun geesteskind aan als tweede-keuspreparaat. Het was niet meer hun product dat voorop stond, maar het probleem van de arts en de patiënt!

Ik praatte met psychiaters, therapeuten, de verenigingen en met patiënten zelf. Ik leerde dat je depressie niet alleen hebt, maar met de hele familie. Het sloop mijn eigen leven in. Mijn schoonmoeder kreeg een zware depressie. Achteraf denk ik: ik was te betrokken en durfde geen advies te geven. Ze heeft me ooit, in 1999, gevraagd: 'Als jij nou depressief zou zijn, zou je dan antidepressiva slikken?' Ik ontkende, zei dat ik er zo lang mogelijk vanaf zou blijven. Maar wat wist ik er toen vanaf? Ik werkte toen nog helemaal niet met antidepressiva. Pas veel later heb ik ontdekt wat een impact die uitspraak op haar bestaan heeft gehad. Mijn schoonmoeder wilde niet slikken. Ze maakte in 2002 een einde aan haar leven.

Na haar dood was ik nog gedrevener, ging ik nog harder rondbazuinen op welke beste farmaceutische manier je een depressie moest managen.

In drie jaar tijd steeg de omzet van Remeron van zes naar zestien miljoen. Ik werd alom geprezen. Drie jaar later zat ik weer in het hetzelfde ritme van te hard werken. Ik heb ontslag genomen omdat ik weer iets voor anderen wilde betekenen. Ik ben een tijdje in de thuiszorg gaan werken. Mensen deden glimlachend de deur open als ik aanbelde. Voor het eerst had ik weer het gevoel: 'Ik ben gewenst.' Ik hoefde niet te leuren met mijn brochures. Ik hoefde geen lulverhaal op te hangen. Ik trok die mensen hun steunkousen aan, haalde ze uit de ontlasting en gaf ze hun gevoel van eigenwaarde terug. Ik was de stempel van pillenboer-met-dubbele-agenda eindelijk kwijt. Ik werd weer de steun en toeverlaat. Ik werd weer gelukkig in het werk.

Twee jaar geleden werd ik gebeld of ik Nervus Vagus Stimulatie wilde gaan doen. NVS is bedoeld voor mensen met epilepsie en depressie bij wie pillen niet werken. Er wordt een soort pacemakertje onder het sleutelbeen geplaatst dat stroomstootjes afgeeft aan de hersenzenuw nervus vagus. Dat is een zenuw die informatie vanuit het lichaam naar de hersenen vervoert en vice versa. Door de nervus vagus te stimuleren worden depressieve mensen minder somber. Hoe het precies werkt, weet men niet. Maar men weet wel dat het invloed heeft op allerlei processen in de hersenen die bijdragen aan een gelukkiger en opgewekter gevoel en stemming. Alles in het menselijk lichaam, en dus ook in de hersenen, is gebaseerd op evenwicht. Is er van het een te veel, dan treedt er direct in het lichaam een mechanisme in werking om het evenwicht te herstellen. Nervus Vagus Stimulatie zorgt ervoor dat daar waar de problemen zitten – in de hersenen – een nieuw evenwicht wordt gemaakt.

Natuurlijk moet ik mijn product nog steeds verkopen. Maar ik hoef niet meer mijn voet tussen de deur te zetten en te duwen. Ik ben gewenst en nodig. In de behandeling van de moeilijkste epilepsie en depressie wordt NVS voorlopig nog gezien als laatste redmiddel. Als alles is geprobeerd en niets helpt, kom je in aanmerking voor Nervus Vagus Stimulatie. Ik help op dit moment de mensen die ik eigenlijk wil helpen. Mensen als mijn schoonmoeder. Als ze nog geleefd had, was dit misschien haar redding geweest.

Nervus Vagus Stimulatie werkt, maar niet bij iedereen. Bij depressie heeft ongeveer de helft van de patiënten er echt baat bij. Ongeveer eenderde van de mensen houdt klachten, maar heeft wel een betere kwaliteit van leven en ongeveer tien à twintig procent heeft er geen baat bij. In Nederland zijn op dit moment twintig à vijfentwintig mensen behandeld. Het wordt nog niet vergoed door de verzekering. In het buitenland wordt het al veelvuldig toegepast.

Soms denk ik wel eens: wat zijn we nou opgeschoten? In 1950 was zeventig procent van de patiënten geholpen met de toen geldende behandelmethoden tegen depressie. Dertig procent ging niet vooruit. Anno 2007 is die verhouding zeventig-dertig er nog steeds. Met alle nieuwe geneesmiddelen erbij! We zijn opgeschoten in kwaliteit van leven. De pillen van nu zijn minder zwaar en we weten meer over de mechanismen van depressie. Zelfs elektrische stroompjes blijken positief te zijn in de behandeling van depressie en epilepsie. Maar als je de wetenschap uit zou tekenen over een lengte van een meter, denk ik dat we slechts één centimeter weten. Eén procent. De hersenen zijn zo'n complex systeem, dat wil je niet weten."

Nora 

'Ik kon niet meer denken, er was maar een weg: ik moest dood.'

Omdat Nora (63) in een diepe depressie verkeerde, schreef de psychiater Remeron voor. Veertien dagen later deed ze een suïcidepoging.

"In de herfst van 2003 stopte ik na anderhalf jaar antidepressivagebruik te snel met de medicatie. Het afbouwen was in overleg gegaan met de huisarts en de apotheker. Na een week of zes werd ik overvallen door een zeer diepe depressie. Deze terugval was heviger en wanhopiger dan alle eerdere depressies die ik had meegemaakt. En nooit eerder ging een depressie gepaard met wanen. Ik kwam in een armoedewaan terecht. Ik zag mezelf afglijden naar een einde op straat. In een oud regenjasje, zittend op de grond. Dat was een sterk beeld en ik werd er ontzettend bang van. Wat er in deze depressie ook gebeurde, was dat ik het contact met anderen verloor. Ik kon niet alleen zijn, maar als er mensen om mee heen waren, ervoer ik geen contact. Niet met mijn drie kinderen, niet met familieleden of vrienden, er was geen voeling meer. Dat is een van de meest beangstigende dingen die je kunt meemaken. De artsen noemden het een vitale depressie. Mijn eerdere gesomber viel erbij in het niet.

Ik was er zo slecht aan toe dat ik onmiddellijk hulp nodig had. De wachtlijst van de GGZ was lang, en zo kwam ik via via terecht bij een vrijgevestigde psychiater. Ik ben op een ochtend naar hem toegegaan en in de loop van het gesprek stelde hij voor dat ik Remeron zou gaan slikken. Dat was volgens hem een goedwerkend middel dat na ongeveer veertien dagen zou aanslaan. Ik sprong op uit mijn stoel en zei: 'Maar hoe kom ik die twee weken dan door?' Hij zei: 'Dat lukt je wel en je mag deze week nog een keer komen.'

Die avond las ik de bijsluiter. Daarin stond: 'Mensen met suïcidale gedachten lopen in het begin van het gebruik een groter risico op suïcide en moeten direct contact opnemen met de voorschrijvend arts.' Ik heb de arts gebeld. Hij zei: 'Mevrouw, ik vind u niet suïcidaal, begint u maar gerust. Een fijne bijwerking van Remeron is bovendien dat u er goed van gaat slapen. Dat wilt u toch ook graag? Begint u er maar aan.' Hij zei er ook bij: 'Dit soort dingen zet de farmacie in de bijsluiter om claims te voorkomen.'

De slaapverwekkende werking begon na de tweede of derde pil. Het was een welkome bijkomstigheid, want ik sliep al weken niet. Ik begon ook weer te eten. Aan mijn sombere stemming veranderde echter niets. De bijwerkingen zijn ook geen bewijs dat de depressie vermindert. Bepaalde processen in je lichaam gaan gewoon anders lopen. Mijn droevige en angstige stemming bleef wat-ie was. Daar heeft Remeron nooit iets aan veranderd.

Toen ik op 3 februari 's avonds naar bed ging – het was de veertiende dag dat ik Remeron slikte – was ik niet somberder dan anders. Ik had die avond met een groep alten uit mijn koor gezongen. We hadden geoefend op het requiem van Verdi, prachtige, droevige liederen. We hadden de punten op de i gezet. Ik ben gaan slapen.

De volgende ochtend was ik wezenlozer dan anders. Normaal zet ik altijd eerst koffie. Dat heb ik niet gedaan. Ik ben ook niet gaan zitten op mijn vertrouwde plekje op de bank. Ik zat in de kamer op een andere stoel en wist maar één ding: dit afschuwelijke gevoel moest stoppen. Ik moest dood. Ik leek een automaat. Ik zat in een soort tunnel zonder gedachten, er was geen redenering of overweging, er was maar één weg: de dood. Ik wilde mezelf verlossen, bevrijden.

Ik ben naar boven gegaan en heb daar een ladyshavemesje gepakt. Beneden heb ik het houdertje uit elkaar geprutst om aan het mesje te komen. In de huiskamer heb ik de telefoon eruit getrokken. Ik dacht: als ik hier de hoofdader verbreek, kan hij boven op de overloop ook niet gaan. Ik heb een heel klein briefje op de tafel gelegd. Op een snippertje papier heb ik geschreven: ik kan niet verder.

Ik ben met snijden begonnen in de badkamer. Mijn linkerpols. Het bloedde, maar niet heel erg. Ik verwachtte een straal naar het plafond. Dat gebeurde niet. Ik voelde geen pijn. Toen ben ik op verschillende plekken in mijn rechterpols gaan snijden. Daarna ben ik de tijd en de volgorde kwijtgeraakt. Ik weet dat ik op een gegeven moment voor de spiegel op de grond zat. Het bloeden ging me niet snel genoeg, ik ben op zoek gegaan naar mijn halsslagader. Ik zat daar, ik sneed, maar ik ging maar niet dood! Het lukte niet. Ik herinner me dat ik huilend om mijn moeder heb geroepen, kon ze me maar helpen mezelf te doden. Ik heb een stuk of tien Remerontabletten ingenomen. Ik ben op de overloop gaan liggen en ben in slaap gevallen of buiten bewustzijn geraakt.

Ik kwam bij van de kou – ik had inmiddels geen kleren meer aan – en heb me naar bed gesleept. Het duurde wel een kwartier voor ik mezelf in het bed had gehesen. Ik was slap en versuft. Ik heb me onder het dekbed gewurmd. Daar heb ik uren gelegen. Het bloeden ging door. Hoewel ik diepe sneden had aangebracht, voelde ik geen pijn. Ik voelde niets. Ik werd wakker van de telefoon. Ik dacht: dit kan niet, ik heb beneden de stekker eruit getrokken! Ik weet niet zeker of het door het gerinkel van de telefoon kwam, maar ik kreeg weer gedachten. Ik dacht: op deze manier gaat het niet lukken. Ik leef, terwijl ik dood moet. Ik dacht: ik moet opgelapt en als ik beter ben, dan doe ik het goed.

Ik heb me naar de telefoon gesleept en heb het alarmnummer gebeld. Het volgende wat ik me herinner is het gezicht van de ambulanceverpleegkundige. Ze boog zich over me heen en zei: 'Meisje, meisje, wat heb je nou toch gedaan?' Ze hebben me op een laken gelegd en hebben me aan vier punten opgepakt en naar beneden gedragen. Ik was op een vreemde manier heel alert. Ik zei: 'Mijn bril moet mee, die ligt op de wasmachine.' Ik heb het wel twaalf keer gezegd.

Ik heb tien dagen in het ziekenhuis gelegen. Ik was onderkoeld, kreeg bloedtransfusies. Mijn lichaamstemperatuur was nog maar 33 graden. Ik had gewoon iets langer moeten blijven liggen, dan was het gelukt. In het ziekenhuis was ik nog even suïcidaal als op die vierde februari. Na een paar dagen kwam er een vriendin op bezoek. Ik vroeg haar: 'Vind je eigenlijk dat het hebben van kinderen een reden is om te leven?' Zij antwoordde dat ze kinderen absoluut een goed motief voor leven vond. Haar antwoord is cruciaal geweest. Ik wilde er dan misschien nog steeds een einde aan maken, maar nu was er een barricade opgeworpen. Toen is langzaam tot me door gaan dringen wat ik had gedaan. En wat ik anderen had aangedaan.

Ik kreeg in het crisiscentrum een psychiater toegewezen die me opnieuw een antidepressivum voorschreef, Efexor dit keer. Het medicijn heeft me goed geholpen, binnen zes weken zakte mijn depressie. Ik ben niet bang geweest opnieuw suïcidaal te worden. Ik zat in een veilige omgeving en zelfmoord was een gepasseerd station.

Ik was uit de tunnel. Ik realiseerde me hoe *shocking* het was wat ik had gedaan. In het crisiscentrum heb ik gedacht: ik heb het alleen maar erger gemaakt. Mijn toestand van depressie was al verschrikkelijk en nu zie ik er ook niet meer uit. Iedere ochtend stond ik voor de spiegel, zag ik al die hechtingen. Het was vreselijk.

Ik heb in die diepe depressieperiode vóór mijn suïcidepoging wel eens gedacht: zo kan ik niet leven. Met name vanwege die existentiële eenzaamheid. Maar een echte doodswens had ik niet. Het is mijn stellige overtuiging dat Remeron de oorzaak van mijn poging tot zelfdoding is. In het crisiscentrum is me verteld dat er een direct verband kan liggen tussen suïcidepogingen en het gebruik van antidepressiva. Ik was niet de eerste die daar zo binnenkwam.

Het is gebeurd in een vlaag van verstandsverbijstering, uitgelokt door medicijngebruik. Maar ik ben wel degene die het gedaan heeft. Dat is zo moeilijk. Vooral voor mijn kinderen. In een van de vele gesprekken die we hebben gehad, heb ik tegen hen gezegd: 'Ja, maar ik ben niet verantwoordelijk voor wat ik heb gedaan, ik was in een totaal rare toestand van bewustzijn.' Een van mijn dochters heeft me toen toegeschreeuwd: 'Mama, daar heb ik helemaal niets mee te maken, ik heb een moeder die een zelfmoordpoging heeft gedaan.'

Er is mij wel eens verweten dat ik in een slachtofferrol ben gaan zitten. Vroeger had ik de neiging anderen de schuld te geven van wat mij overkwam. Toen ik scheidde en met de kinderen alleen kwam te staan, vond ik dat bijvoorbeeld de schuld van mijn ex. Zo zijn er meer dingen geweest. Maar die houding heb ik niet meer. Ik ben me er terdege van bewust dat ik zelf heb aangehaald wat mij overkomt, en dat ik daar verantwoordelijk voor ben. Maar de suïcidepoging is me niet aan te rekenen. Ik blijf erbij dat ik heb gevaren op het advies van de deskundige. De voorschrijvende psychiater in dit geval, die mijn ongerustheid heeft weggewuifd en me heeft gezegd dat er geen reden toe was.

Het is nu drie jaar geleden en het grote schuldgevoel is bijna verdwenen. Het verdriet komt bij vlagen weer op. De verhouding met mijn kinderen is veel en veel beter. In het begin hielden ze me heel erg in de gaten. Hoe gaat het met mama? Voelt ze zich beter? Doet ze wel normaal? Ze waren eigenlijk alsmaar bezorgd. Dat begin nu een beetje weg te ebben. Ze zien dat het goed met me gaat. Ik ben terughoudender geworden in het vertellen van minder leuke verhalen. Ik wil hen de ongerustheid besparen. Mijn suïcidepoging is er bij hen zo diep ingegrift, een verkeerde stap van mij naar links of rechts kan bij hen denk ik weer grote onrust oproepen. Al blijven ze alert, het vertrouwen is terug."

Nora is een gefingeerde naam.

DE VOORLICHTING

Wat is depressie, dysthymie, angststoornis?

Depressie

Een depressie is een stemmingsstoornis. Wie getroffen wordt door een depressie, voelt zich minstens twee weken achter elkaar het grootste deel van de tijd somber, is inactief en heeft geen interesse of plezier meer in allerlei zaken. Daarnaast ontstaan klachten als concentratieproblemen, moeite met slapen, vermoeidheid of verlies aan energie, gevoelens van waardeloosheid en gedachten aan de dood. Vaak ontstaan negatieve denkpatronen en fysieke klachten. Het grote verschil tussen depressie en neerslachtigheid (depressieve gevoelens) is dat depressie het dagelijks functioneren aantast.

Gaat het over? Het verloop van depressie is wisselend en grillig. Gemiddeld duurt een depressie zes maanden. Maar er zijn grote verschillen: de helft van de depressies duurt korter dan drie maanden en een op de vijf duurt langer dan twee jaar. Bij 85 procent van de mensen die een depressie hebben gehad, keert de depressie binnen vijf jaar terug. 30 procent van de mannen en 40 procent van de vrouwen lijdt aan een of meer depressieve periodes gedurende hun leven. Gemiddeld zijn dat meer dan zeven depressieve perioden.

Als mensen een depressie hebben en deze op zijn beloop laten – en dus geen medicatie of therapie krijgen – herstelt de helft binnen drie maanden. Na zes maanden is 63 procent genezen. Bij een op de vijf mensen wordt de depressie chronisch.

Hoe vaak komt het voor? Van alle volwassen Nederlanders tot 65 jaar heeft 6 procent een depressie, of heeft die onlangs gehad. Bij jongeren is dat 2 tot 3 procent en bij ouderen ongeveer 2 procent. In totaal gaat het om zo'n 750.000 Nederlanders. De Wereldgezondheidsorganisatie voorspelt dat in 2020 depressie volksziekte nummer twee zal zijn, na hart- en vaatziekten.
BRON Trimbos Instituut 2007/Nemesis onderzoek, 1996, Trimbos Instituut.

Dysthymie

Iemand heeft dysthymie als hij een chronisch depressieve stemming heeft, die er het grootste deel van de dag is, op meer dagen wel dan niet en dat minstens twee jaar. De stemming is verdrietig of terneergeslagen. Drie op de vier mensen met dysthymie hebben daarnaast andere psychische stoornissen, zoals depressie (59 procent), angststoornis (specifieke fobie, sociale fobie, gegeneraliseerde angststoornis) en middelenmisbruik. Dysthymie is minder ernstig dan depressie wat betreft stemmingsproblemen, maar is wel veel chronischer.

Gaat het over? Dysthymie is chronisch. Bijna de helft van de mensen die ooit dysthymie heeft gehad, krijgt het opnieuw. Ongeveer 40 procent herstelt pas na twee tot drie jaar. Ongeveer de helft herstelt na vijf jaar.

Hoe vaak komt het voor? Van alle volwassen Nederlanders tot 65 jaar heeft 6,3 procent ooit dysthymie gehad; 2,3 procent het afgelopen jaar, en 1,6 procent de afgelopen maand.
BRON Trimbos Instituut 2007/Nemesis onderzoek, 1996, Trimbos Instituut.

Angststoornis

Volgens de psychiatrische leerboeken zijn er veel verschillende angststoornissen te onderscheiden. De bekendste en meest voorkomende zijn paniekstoornis, agorafobie, sociale fobie, obsessief-compulsieve stoornis (OCD of dwangstoornis), posttraumatische stressstoornis (PTSS) en gegeneraliseerde angststoornis. Mensen met een gegeneraliseerde angststoornis zijn de hele tijd angstig en bezorgd over alledaagse dingen. De angst is doorlopend aanwezig en komt niet voort uit een bepaalde situatie. Een gegeneraliseerde angststoornis kan op een depressie lijken.

Mensen met een paniekstoornis hebben bij herhaling paniekaanvallen zonder dat daar een directe aanleiding voor is. Hartkloppingen, zweten, opvliegers, koude rillingen, trillen of duizeligheid horen bij de klachten, naast de angst om dood te gaan of gek te worden. Wanneer iemand uit vrees voor nieuwe paniekaanvallen menigten gaat mijden en situaties waar hij niet snel genoeg uit weg kan komen, is er sprake van agorafobie (pleinvrees). Ook vermijdingsgedrag zonder dat er sprake is van paniekaanvallen komt voor. Een specifieke angststoornis gaat vaak gepaard met een van de andere angststoornissen.

Gaat het over? De kans op verbetering bij alle angststoornissen schommelt tussen de 20 en 30 procent. Voor een paniekstoornis geldt dat slechts 30 tot 50 procent herstelt na een periode van zes tot zeven jaar.

Hoe vaak komt het voor? Van alle volwassen Nederlanders tot 65 jaar heeft ruim 2 procent ooit een gegeneraliseerde angststoornis gehad, en ruim 1 procent het afgelopen jaar.

Worden alle soorten angststoornissen bij elkaar opgeteld, dan leidt dat tot veel hogere cijfers. Per jaar lijdt naar schatting een op de acht mensen aan een angststoornis, dat zijn ongeveer 1,7 miljoen Nederlanders.

BRON Trimbos Instituut 2007/Nemesis onderzoek, 1996, Trimbos Instituut.

Hoe vaak komen psychische stoornissen in de bevolking voor?

- 41 procent van de volwassenen krijgt een of meer keren in zijn leven een psychische stoornis. Het meest komen voor: angststoornissen en stemmingsstoornissen (waaronder depressie). Een op de vier mensen heeft het afgelopen jaar een psychische stoornis gehad.
- 20 procent van de Nederlanders heeft ooit een angststoornis gehad, 12 procent had de afgelopen twaalf maanden een angststoornis.
- 20 procent van de Nederlanders heeft ooit een stemmingsstoornis gehad, 7 procent had de afgelopen twaalf maanden een stemmingsstoornis.

BRON Nemesis onderzoek, 1996, Trimbos Instituut.

Zijn Nederlanders gekker?

Nederland is gemiddeld als het gaat om de mate waarin psychische stoornissen voorkomen. In Amerika komen angststoornissen en stemmingsstoornissen vaker voor en in Canada minder vaak.

BRON Nemesis onderzoek, 1996, Trimbos Instituut.

Antidepressiva en hoe ze werken

Van merknaam naar generiek middel

Omdat alle patenten van ssri's en vergelijkbare 'nieuwe' antidepressiva zijn verstreken, worden merknamen als Prozac of Efexor steeds minder gebruikt. Bovendien wijken buitenlandse merknamen soms af. Hieronder een overzicht van de belangrijkste middelen met de merknamen die daar vroeger bij hoorden:

Fluoxetine = Prozac
Paroxetine = Seroxat
Fluvoxamine = Fevarin
Sertraline = Zoloft
Citalopram = Cipramil
Venlafaxine = Efexor
Mirtazapine = Remeron

Werking

De werking van antidepressiva is te vergelijken met een verwarmingsketel. Bij iemand die depressief is, zijn de zenuwcellen in de hersenen doorlopend geactiveerd en staat de verwarmingsketel aan een stuk door te loeien. De ketel denkt: het tocht, en slaat steeds opnieuw aan. Om het tochtgat te dichten, ga je in therapie en verbeter je je sociale omstandigheden. De pillen die je slikt bestrijden het tochtgat niet, maar kun je zien als extra thermostaten die rond het tochtgat worden geplaatst. Zo spreid je het risico, want de verwarmingsketel hoeft niet bij elk zuchtje wind paniekerig aan te slaan.

SSRI's regelen in de hersenen de hoeveelheid serotonine, een van nature voorkomende stof die een rol speelt bij stemming en emoties. Hierdoor vermindert als het goed is de depressie of angststoornis en verbetert de stemming. Voorbeelden zijn citalopram, fluoxetine, fluvoxamine, paroxetine en sertraline.

Tricyclische antidepressiva (TCA's) regelen in de hersenen de hoeveelheid serotonine en noradrenaline, twee van nature voorkomende stoffen die een rol spelen bij stemming en emoties. Hierdoor vermindert de depressie of angststoornis en verbetert de stemming. Voorbeelden zijn amitriptyline, clomipramine en nortriptyline.

Er zijn nog andere antidepressiva die de hoeveelheid serotonine en noradrenaline beïnvloeden. Hun werkingsmechanisme is weer anders dan dat van SSRI's of TCA's. Ze worden bijvoorbeeld voorgeschreven bij mensen die behalve de depressie ook last hebben van in- en doorslaapproblemen. Voorbeelden zijn mirtazapine, venlafaxine en duloxetine.

Klassieke MAO-remmers regelen in de hersenen ook de hoeveelheid serotonine en noradrenaline, twee van nature voorkomende stoffen die een rol spelen bij stemmingen en emoties. Hierdoor kunnen de verschijnselen van de depressie verbeteren. Het zijn zware middelen en ze worden nooit ingezet als eerste keus. Een voorbeeld is tranylcypromine.

BRON RIVM 2007.

Kosten

Alle zorgverzekeraars vergoeden antidepressiva, dus niemand voelt het in zijn portemonnee. Een SSRI kost per dagelijkse normdosering 0,73 euro. Gemiddeld kost een behandeling met een SSRI 22 euro per maand. Tricyclische antidepressiva zijn drie tot vier keer zo goedkoop.

BRON Stichting Farmaceutische Kengetallen, 2004.

Wie slikt wat?

- 58 procent van de gebruikers slikt een SSRI
- 22 procent van de gebruikers slikt een TCA
- 20 procent van de gebruikers slikt een ander antidepressivum.

BRON SFK, 2004.

M/V

Tweederde van de antidepressivagebruikers is vrouw. Hoe ouder, hoe meer vrouwen slikken: in de leeftijdgroep 65 jaar en ouder is 75 tot 80 procent vrouw.

BRON SFK, 2002.

40+

Antidepressiva worden het meest (32 procent) voorgeschreven aan mensen tussen de 41 en 54 jaar. In 90 procent van de gevallen schrijft de huisarts voor.

BRON SFK, 2002.

Meer lezen, meer surfen, adressen

Lezen

Dat moet mij weer gebeuren... Zwartkijkers, zeurpieten en pechvogels door Willem van der Does, Scriptum.

Helder, overzichtelijk (en met humor) beschrijft Van der Does ontstaan en behandeling van depressie.

Te gek om los te lopen (over de psychiatrie en de organisatie daarvan in Nederland), *Te zot voor woorden* (over de mogelijkheden en onmogelijkheden binnen de hedendaagse psychiatrie) en *De halve van Egmond, liever een marathon dan een burnout* (over het effect van hardlopen op de psyche) door Bram Bakker zijn verschenen bij de Arbeiderspers.

Een kijkje in de keuken van de psychiater. Kritisch en zonder enige terughoudendheid.

Psychiaters te koop? De invloed van de farmaceutische industrie op het psychiatrisch denken en handelen van Walter Vandereycken en Ron van Deth, Cyclus-Garant.

Ontluisterend en onthutsend nieuws over hoe we belazerd worden door de farmaceutische industrie.

Onze hersenen, over de smalle grens tussen normaal en abnormaal door René Kahn, Balans.

De psychiater legt uit hoe de hersenen werken. Toegankelijk geschreven, met veel wetenswaardigheden.

Uw brein als medicijn, zelf angst, stress en depressie overwinnen van David Servan-Schreiber, Lifetime.

Servan-Schreiber gelooft in de zelfgenezende kracht van de hersenen. Hij presenteert zeven natuurlijke behandelwijzen gebaseerd op baanbrekend onderzoek in het Shadyside Hospital van de Universiteit van Pittsburgh.

Prozac, of hoe een geneesmiddel je persoonlijkheid kan verbeteren door Peter D. Kramer, Bert Bakker (niet meer leverbaar).

Hét pro-Prozac boek van de jaren negentig.

The Antidepressant Fact Book, door Peter Breggin, Perseus Publishing.

Alles wat nooit in de publiciteit kwam over de vermeende wonderpillen.

Surfen

Kiesbeter.nl is een keuzehulp voor mensen die op zoek zijn naar de beste behandeling (pillen of praten) bij depressie of angststoornissen. De site is onafhankelijk (Rijksinstituut voor Volksgezondheid en Milieu in opdracht van het ministerie van Volksgezondheid, Welzijn en Sport) en biedt wegwijs in zorg en gezondheid. Kies in het hoofdmenu 'medische informatie' en zoek informatie op ziekte, klacht, behandeling, medicatie en onderzoek.

Op trimbos.nl, de site van het Trimbos Instituut (landelijk kennisinstituut voor de geestelijke gezondheidszorg, verslavingszorg en maatschappelijke zorg) vind je veel informatie over psychische stoornissen, behandeling en mogelijke medicatie. Op de site is tevens alle informatie te vinden over het Doorbraakproject Depressie, dat in 2006 werd gestart.

Sinds de Softenon-affaire in de jaren zestig bestaat nationaal en internationaal regelgeving voor de registratie en bewaking van bijwerkingen. Deze geneesmiddelenbewaking is noodzakelijk omdat lang niet alle effecten van geneesmiddelen bekend zijn op het moment dat ze op de markt worden toegelaten. Het Nederlands Bijwerkingen Centrum Lareb (lareb.nl) verzamelt en analyseert in opdracht van de overheid meldingen van vermoedelijke bijwerkingen, die door zorgverleners, patiënten en fabrikanten worden doorgegeven.

Adressen

Stichting Pandora is een onafhankelijke organisatie die zich inzet voor mensen met psychische of psychiatrische problemen. Op de site stichtingpandora.nl vind je onder het kopje dossiers/psychofarmaca/medicijnspecial veel informatie over antidepressiva. De helpdesk van Pandora bestaat uit ervaringsdeskundigen die telefonisch of per e-mail vragen beantwoorden.

- Pandora Helpdesk: 0900 –7263672 (10 ct/pm) maandag tot en met donderdag van 10.00 tot 16.30 uur.
- Pandora Depressielijn: 0900–6120909 (10 ct/pm) maandag tot en met donderdag van 19.00 tot 21.00 uur.

Het Fonds Psychische Gezondheid/Depressiecentrum zet zich in voor mensen die kampen met psychische problemen. Op de site fondspsychischegezondheid.nl of depressiecentrum.nl vind je informatie over publicaties, een depressiezelftest en te bestellen brochures. De telefonische hulplijn van het Fonds wordt bemand door getrainde vrijwilligers.

- Psychische Gezondheidslijn: 0900–9039039 (20 ct/pm) alle werkdagen van 10.00–16.00 uur.

Jaarlijks bellen 3.000 mensen met het Fonds Psychische Gezondheid. Driekwart van de vragen gaat over het gebruik van antidepressiva en de behandeling van depressies en angststoornissen.

Bron Fonds Psychische Gezondheid, 2005.

Jaarlijks bellen ook ongeveer 3.000 mensen naar de helpdesk van Stichting Pandora. Dertig procent van de vragen gaat over medicatie. De meest gestelde vragen zijn: Wat kan ik verwachten van de werking van antidepressiva? Wat zijn de bijwerkingen? Hoe bouw ik de medicatie af? Is mijn huisarts wel deskundig genoeg om antidepressiva voor te schrijven?

Bron Stichting Pandora, 2005

De meewerkende deskundigen

Bram Bakker volgde de opleiding tot psychiater aan de Vrije Universiteit te Amsterdam. Na zijn registratie als psychiater (1999) werkte Bakker achtereenvolgens als consultant voor enkele farmaceutische bedrijven, als psychiater in Leiden en op de afdeling psychiatrie van het Sint Lucas Andreas Ziekenhuis in Amsterdam. Hij promoveerde in 2000 op een onderzoek naar de uitkomsten van behandeling van paniekstoornis met pillen of praten ('Psychological and Pharmacological Treatment in Panic Disorder'). In 2003 verscheen van zijn hand het boek *Te gek om los te lopen*. Een jaar later verscheen *Loden Last* (met schrijver/journalist Bram Hulzebos) over de ellende die door zelfmoord wordt veroorzaakt. In 2005 verscheen *Te zot voor woorden*, daarna volgde *De halve van Egmond*. Bakker werkt momenteel als interim-psychiater op de opnameafdeling voor een GGZ-instelling. Hiervoor werkte hij gedurende enkele jaren parttime bij het centrum eetstoornissen Ursula, het landelijke kennis- en behandelcentrum voor eetstoornissen van de Robert-Fleury Stichting in Leidschendam. Columns van zijn hand verschijnen maandelijks in *Wielermagazine* en *Jan*, tweewekelijks in *AD-Diagnose* en wekelijks op Planet Internet.

Meer informatie: www.brambakker.com.

Professor **Inez de Beaufort** studeerde theologie in Utrecht en promoveerde in Groningen op ethiek en medische experimenten met mensen. Zij was verbonden aan het Instituut voor Gezondheidsethiek in Maastricht en werd vervolgens hoogleraar gezondheidsethiek aan het Erasmus Medisch Centrum Rotterdam. Zij schreef over uiteenlopende onderwerpen: voortplantingstechnologie, sterven, schoonheid en de dokter, en medische ethiek in de literatuur. Op dit moment is zij vooral bezig met onderzoek op het gebied van individuele verantwoordelijkheid voor de gezondheid, in het bijzonder overgewicht en medische ethiek in literatuur en films. Zij vindt participatie in het maatschappelijke debat van groot belang en tracht daaraan dan ook een bijdrage te leveren.

De Beaufort is lid van de Gezondheidsraad, de Centrale Commissie Medisch Onderzoek met Mensen, de Raad van Advies van Zorgverzekeraars Nederland, een Toetsingscommissie Euthanasie, de programmacommissie Ethiek, Onderzoek en Bestuur van NWO en de Commissie Ethische Vraagstukken van het EMCR.

Reinoud Eleveld is Healing Tao-instructeur. Healing Tao maakt oude oosterse technieken voor zelfgenezing toegankelijk voor een hedendaags, westers publiek. De technieken zijn zesduizend jaar geleden ontstaan in China. De lichaamsoefeningen en meditaties helpen om geestelijk en lichamelijk in balans te komen en te blijven. Reinoud Eleveld is opgeleid door Master Mantak Chia in de Tao Garden in Thailand. In januari 2003 werd hij de tweede Nederlandse senior-instructeur. Reinoud Eleveld geeft cursussen in onder meer Utrecht en Amsterdam.

Meer informatie: www.taotraining.nl

Aly van Geleuken studeerde gezondheidspsychologie en toegepaste sociale psychologie aan de Katholieke Universiteit Brabant, de huidige Universiteit van Tilburg. Van Geleuken was van 1998 tot 2004 directeur van de inmiddels opgeheven Depressie Stichting. Sinds 2004 is zij in dienst van het Fonds Psychische Gezondheid als hoofd van het Depressie Centrum in Utrecht.

Dr. **Jeroen Geurts** is neurobioloog en als senior wetenschappelijk onderzoeker verbonden aan het VU Medisch Centrum te Amsterdam. Hij promoveerde *cum laude* op zijn onderzoek naar grijzestofafwijkingen bij de zenuwaandoening multiple sclerose (MS) en werkt nog steeds aan verbetering van deze ziekte, hoewel zijn wetenschappelijk werkveld inmiddels breder is geworden. Er verschenen meerdere wetenschappelijke publicaties van zijn hand en naast zijn eigen onderzoekswerkzaamheden is hij betrokken bij de opleiding van verschillende jonge onderzoekers. Onlangs schreef hij het populair-wetenschappelijke boek *Over de kop: fascinerende vragen over het brein* (Scriptum). In dit boek komen ook de bekende hersenonderzoekers Wim van de Grind, Dick Swaab en Victor Spoormaker aan het woord. Het werk geeft inzicht in een aantal intrigerende aspecten van hersenonderzoek en geeft antwoorden op vragen als: Kunnen dieren denken? Bepalen je hersenen of je homo wordt? Wat gebeurt er in ons hoofd als we dromen? En: hoe ontstaat ons bewustzijn?

Professor **René Kahn** is sinds 1993 hoogleraar psychiatrie en hoofd van de divisie Hersenen van het UMC Utrecht. Hij doet veel onderzoek op het gebied van schizofrenie. Kahn heeft meer dan 280 wetenschappelijke artikelen geschreven en begeleidt een groot aantal promovendi. Op het ogenblik leidt hij het *Group-onderzoek, veerkracht en kwetsbaarheid bij schizofrenie*, een landelijk onderzoek bij patiënten met schizofrenie en hun eerstegraads verwanten. Daarnaast is hij hoofdonderzoeker bij een Europese studie naar de behandeling van eerste episode schizofrenie. Tevens is hij projectleider van een aantal studies naar hersenverandering bij schizofrenie. In 2004 verscheen *Onze hersenen, over de smalle grens tussen normaal en abnormaal.* Eerder verscheen van zijn hand *Gids pillen & psychiatrie.* Tot voor kort was Kahn voorzitter van de Nederlandse Vereniging voor Psychiatrie.

Hugo Kieviet studeerde geneeskunde aan de Universiteit van Amsterdam en behaalde in 1989 zijn artsexamen. Daarna begon hij aan de huisartsenopleiding. Sinds 1997 is hij huisarts te Amstelveen.

Prof.dr. **Toine Pieters** studeerde farmacie met als hoofdvak moleculaire biologie aan de Universiteit van Utrecht en is nu als universitair docent en onderzoekscoördinator werkzaam bij de afdeling Metamedica, VU Medisch Centrum. Hij combineert deze functie met een aanstelling als bijzonder hoogleraar in de geschiedenis der farmacie aan de Rijksuniversiteit Groningen. Vanaf oktober 2005 is hij actief als voorzitter van de programmacommissie wetenschappelijke bijeenkomsten van de KNMP. Pieters publiceerde in 2002 de studie *Pillen & Psyche: culturele eb- en vloedbewegingen over medicamenteus ingrijpen in de psyche* (Rathenau Instituut, werkdocument 87). In 2006 verscheen *De medicijnrevolutie in de psychiatrie (1950–1985), ooggetuigen in de geneeskunde en de medische zorg van de 20e eeuw* van T. Pieters, S. Snelders en E. Houwaart (Eds.) bij Veen Magazines.